FONDATIONS

DU MÊME AUTEUR

Chez le même éditeur

Ibn Khaldoun. Naissance de l'histoire, passé du tiers monde, coll. « Textes à l'appui », 196[illegible] ; nouvelle édition dans la collection « Fondations », 1981.

Unité et diversité du tiers monde. Des représentations planétaires aux stratégies sur le terrain, coll. « Hérodote », 1980.

Chez d'autres éditeurs

Les Pays sous-développés, coll. « Que sais-je ? », P.U.F., 197[illegible].

La Colonisation, avec A. Nouschi et A. Prenant, *L'Algérie passé et présent*, Éditions sociales, 1960.

Géographie du sous-développement, P.U.F., 1965 ; nouvelle édition, 1981.

DU MÊME AUTEUR

Chez le même éditeur

Ibn Khaldoun. Naissance de l'histoire, passé du tiers monde, coll. « Textes à l'appui », 1966 ; nouvelle édition dans la collection « Fondations », 1981.

Unité et diversité du tiers monde. Des représentations planétaires aux stratégies sur le terrain, coll. « Hérodote », 1980.

Chez d'autres éditeurs

Les pays sous-développés, coll. « Que sais-je ? », P.U.F., 1976.

En collaboration avec A. Nouschi et A. Prenant, *L'Algérie. Passé présent*, Editions sociales, 1960.

Géographie du sous-développement, P.U.F., 1965 ; nouvelle édition, 1981.

Yves Lacoste

La géographie, ça sert, d'abord, à faire la guerre

Nouvelle édition revue et augmentée

EDITIONS LA DÉCOUVERTE
1, place Paul-Painlevé
Paris V[e]
1985

Si vous désirez être tenu régulièrement informé de nos parutions, il vous suffit d'envoyer vos nom et adresse aux Editions La Découverte, 1, place Paul-Painlevé, 75005 Paris. Vous recevrez gratuitement notre bulletin trimestriel **A la découverte.**

ISBN 2-7071-1541-X

A propos de la troisième édition

Lorsque ce petit livre parut en 1976, ce fut un beau scandale dans la corporation des géographes universitaires, un scandale si grand que beaucoup d'entre eux s'en étouffèrent d'indignation : tel, par exemple, qui trônait au Collège de France et qui tenait alors la chronique mensuelle de géographie du *Monde* écrivit dans les colonnes de ce journal qu'il se refusait à rendre compte de « ce petit livre bleu » (sa couverture en effet était bleue) tant ce qu'on pouvait y lire lui paraissait épouvantable. S'il y eut peu de comptes rendus dans les diverses revues de géographie, les propos de couloir allèrent bon train : venimeux et triomphants, entre ceux qui n'avaient déjà guère de sympathie pour moi (depuis ma *Géographie du sous-développement*) ; incrédules et consternés pour nombre de mes amis. Dans cette affaire, j'en perdis plusieurs dont un des plus notables et des plus anciens, malgré mes efforts pour dissiper les malentendus.

C'est qu'à cette corporation apparemment placide, mais au fond très complexée, si peu portée à la réflexion épistémologique, mais tellement désireuse d'être reconnue comme science, ce petit livre disait des choses tellement choquantes et provoqua un tel malaise que la signification de son titre fut volontairement et/ou involontairement déformée : au lieu de lire « la géographie, ça sert, *d'abord*, à faire la guerre » (sous-entendu : ça sert, *aussi*, à d'autres choses et il en est largement fait état dans le texte), on voulut à toute force que Lacoste, géographe saisi par on ne sait quel délire masochiste ou suicidaire, ait proclamé que la géographie servait *seulement* à faire la guerre. C'était, pour certains, un moyen commode pour essayer de le disqualifier facilement ; d'autres réduisaient la portée du livre à ce qui les avait le plus surpris et gênés, car il était difficile de le réfuter. A l'exception de quelques-uns, les marxistes géographes (ceux à qui le discours marxiste importe plus que le raisonnement géographique) ne furent pas les derniers à condamner... au nom de la science.

Si ce titre scandalisa les géographes, il ravit en revanche tous ceux — et ils sont nombreux — qui, depuis le lycée, gardent de la géographie un fort mauvais souvenir et surtout les historiens, parce qu'ils ont dû « faire de la géographie » contraints et forcés, pour avoir la licence ou pour passer l'agrégation ; le souvenir des coupes géologiques leur donne un goût de vengeance. Pour tous ceux-là, et plus encore s'ils sont « à gauche » et partagent ses traditions antimilitaristes, qu'un géographe en vienne à proclamer que la géographie était d'abord l'affaire de l'armée, c'était bien la preuve que cette discipline, qu'ils considéraient déjà comme imbécile, était au fond fort malfaisante. C'était donc pour eux une raison nouvelle et excellente d'en réduire l'audience, plus encore.

Cependant, dans le champ des historiens, il n'y eut pas plus de comptes rendus que chez les géographes. En effet, ceux que le titre avait d'abord fait jubiler découvraient sans doute, en lisant le livre, que l'enjeu de la géographie est socialement beaucoup plus important qu'ils ne voulaient le penser et que la critique que je faisais du discours traditionnel des géographes était, en fait, le moyen de montrer l'utilité fondamentale de véritables raisonnements géographiques, non seulement pour les militaires, mais aussi pour l'ensemble des citoyens, surtout quand ils doivent se défendre.

En revanche, ce livre a intéressé les journalistes — ne serait-ce qu'en raison de leur goût de la nouveauté — et c'est dans une grande mesure grâce à eux qu'il a été lu par un grand nombre de personnes, non seulement des étudiants, mais aussi des syndicalistes, des militants ; non seulement en France, mais aussi dans des pays où la vie politique ne repose pas sur des bases démocratiques. Ce livre a été imprimé à 24 000 exemplaires — et il a été abondamment photocopié.

La seconde édition (1982) est parue avec une volumineuse postface. En effet, il me paraissait utile de republier le texte initial, mais de dire aussi sur quels points ma façon de voir était devenue différente de celle que j'avais quelques années auparavant. C'est pour moi une règle déontologique, bien qu'elle soit trop rarement appliquée dans le domaine des sciences sociales.

Pour cette troisième édition qui paraît dans la série « Fondations », j'ai finalement préféré réintégrer au texte initial différentes parties de la postface de 1982 et des propos nouveaux, tout en rappelant quels avaient été mes points de vue antérieurs. J'ai cru opportun de rassembler à la fin de cet ouvrage trois textes récents qui me paraissent utiles. En effet beaucoup de choses bougent maintenant chez les géographes.

Lorsque j'ai écrit ce livre, en 1976, commençait de paraître *Hérodote*, la revue que j'ai pu créer grâce à l'appui de François Maspero. Le n° 1, aujourd'hui introuvable, fut en fait le premier scandale qui secoua la corporation des géographes universitaires, d'abord en raison du sous-titre qui indique les orientations de la revue : *Stratégies-Géographies-Idéologies.* Scandale que de confronter la géographie non pas à la science et à ses critères mais aux stratégies et aux idéologies. Scandale aussi pour les historiens que des géographes s'emparent du « père de l'histoire », en Occident. Mais Hérodote est aussi le premier vrai géographe et il n'a pas écrit une histoire mais une *enquête* sur les pays avec lesquels Athènes était en relation ou en conflit.

Ce premier numéro d'*Hérodote* s'ouvrait sur un manifeste, éditorial fracassant rédigé par les jeunes membres du secrétariat de la revue, « Attention géographie ! » On le relira avec intérêt.

C'est parce que dans ce premier numéro, on en avait dit trop et pas assez qu'il me parut nécessaire d'écrire ce livre au plus vite. Mais depuis les idées ont continué de progresser au sein du petit groupe qui anime la revue depuis ses débuts : Béatrice Giblin, Michel Foucher, Maurice Ronai, Michel Korinman.

En 1985, *Hérodote* existe toujours : 35 numéros ont été publiés, centrés chacun sur un thème précis. Depuis 1983, la revue paraît avec le sous-titre *Revue de géographie et de géopolitique*, ce qui explicite ses orientations initiales qui pour l'essentiel n'ont pas changé. Les géographes ont des choses à dire en matière de géopolitique.

Alors que tout un chacun, dans le milieu des sciences sociales, se réclame d'une interdisciplinarité qui est une façon d'éluder les problèmes épistémologiques spécifiques des différents savoirs, *Hérodote* parle de la géographie et montre le rôle que peuvent avoir les géographes. C'est aussi la seule revue de géographie où écrivent régulièrement des politistes, des sociologues, des orientalistes, des historiens, des anthropologues, des philosophes, des urbanistes... et elle n'est pas seulement lue par des géographes, mais par tous ceux qui commencent à s'intéresser au raisonnement géographique.

Hérodote est devenu, au moins pour le volume de son tirage, la plus importante revue française de géographie et il me plaît de rappeler qu'elle a été (et est encore pour une bonne part) l'expression des réflexions quant à la géographie d'un petit groupe de l'université de « Vincennes » (aujourd'hui Paris-VIII) qui est née des événements de Mai 68. Dans ses premières années, Vincennes fut certes un lieu de tumultes et de désordre, mais aussi (on l'oublie trop) un lieu de débats stimulants et de discussions novatrices entre des enseignants de diverses disciplines, des militants de tendances plus ou moins antagonistes de la gauche et de l'extrême gauche, des jeunes qui venaient de sortir du lycée, des travailleurs qui n'y étaient guère allés, des étudiants avancés qui avaient fait leur licence dans d'autres universités et qui étaient venus à Vincennes pour trouver autre chose. Parmi ces derniers, les étudiants d'histoire étaient très critiques à l'égard de la géographie, surtout en raison du discours systématiquement apolitique qui leur avait été dispensé jusqu'alors, et c'est pourtant quelques-uns d'entre eux qui s'intéressèrent à cette discipline, au point d'y consacrer l'essentiel de leurs réflexions, après que je leur eus montré qu'elle était moins bêtasse qu'elle en avait l'air.

Certes, la géographie se montre sotte, et il est nécessaire de le dire. Mais on n'en voit qu'une partie, et, tels les grands icebergs dont l'essentiel est immergé, il faut y prendre garde : elle sert à faire la guerre, à organiser les hommes, mais aussi elle montre quels ont été les desseins de la Nature — de Dieu ? Stratégies, idéologies : tels sont les deux axes de ce livre et de la réflexion d'*Hérodote* pour chercher à comprendre les fonctions de ce savoir énorme et en apparence si dérisoire qu'est la géographie. Réflexion irrévérencieuse — mais pas seulement : une fois qu'on a osé dire que le roi est nu, il reste à expliquer pourquoi il est roi, malgré tout.

Sur la couverture de ce livre, le symbole de la revue vu par le talent impertinent de Wiaz, le bonhomme Hérodote. Il tient un ustensile anachronique et quelque peu dérisoire : un revolver muni d'un silencieux, la Terre, et le regard d'Hérodote est inquiétant, car il observe des choses que les autres ne voient pas.

Une discipline bonasse et fastidieuse ?

Tout le monde croit que la géographie n'est qu'une disciple scolaire et universitaire dont la fonction serait de fournir des éléments d'une description du monde, dans une certaine conception « désintéressée » de la culture dite générale... Car quelle peut bien être l'utilité de ces bribes hétéroclites des leçons qu'il a fallu apprendre au lycée ? Les régions du bassin parisien, les massifs des Préalpes du Nord, l'altitude du mont Blanc, la densité de population de la Belgique et des Pays-Bas, les deltas de l'Asie des moussons, le climat breton, longitude-latitude et fuseaux horaires, les noms des principaux bassins charbonniers de l'URSS et ceux des grands lacs américains, le textile du Nord (Lille-Roubaix-Tourcoing), etc. Et les grands-parents de rappeler qu'autrefois il fallait savoir « ses » départements, avec leurs préfectures et sous-préfectures... Tout cela sert à quoi ?

Une discipline embêtante mais somme toute bonasse, car comme chacun sait, « en géo, il n'y a rien à comprendre, mais il faut de la mémoire »... Quoi qu'il en soit, depuis quelques années, les élèves ne veulent plus entendre parler de ces leçons qui énumèrent, pour chaque pays ou pour chaque région, relief-climat-fleuves-végétation-population-agriculture-villes-industries. Dans les lycées, on a tellement « ras le bol » de la géo que, successivement, deux ministres de l'Education (et parmi eux, un géographe !) en sont venus à proposer la liquidation de cette vieille discipline « livresque aujourd'hui dépassée » (tout comme s'il s'agissait d'une sorte de latin). Autrefois peut-être a-t-elle servi à quelque chose, mais aujourd'hui, la télé, les magazines, les journaux ne présentent-ils pas mieux tous les pays au fil de l'actualité, et le cinéma ne montre-t-il pas bien mieux les paysages ?

A l'Université, où l'on ignore pourtant les « difficultés pédagogiques » des profs d'histoire et géo du secondaire, les maîtres les plus avisés constatent que la géographie connaît « un certain malaise » ; un des doyens de la corporation déclare, non sans solennité, qu'elle « est entrée dans le temps des craquements [1] ». Quant aux jeunes mandarins qui se lancent dans l'épistémologie, ils en viennent à oser se demander si la géographie est bien une science, si cette accumulation d'éléments de connaissance « empruntés » à la géologie comme à la sociologie, à l'histoire comme à la démographie, à la météorologie comme à l'économie politique ou à la pédologie, si tout ça peut prétendre constituer une science véritable, autonome, à part entière...

Mais que diable, diront tous ceux qui ne sont pas géographes, n'y a-t-il pas problèmes plus urgents à discuter que des malaises de la géographie ou, en termes plus expéditifs, « la géographie, on n'en a rien à foutre... » puisque ça ne sert à rien.

En dépit des apparences soigneusement entretenues, les problèmes de la géographie ne concernent pas que les géographes, loin de là, mais, en fin de compte, tous les citoyens. Car ce discours pédagogique qu'est la géographie des professeurs, qui apparaît d'autant plus fastidieux que les mass media déploient leur spectacle du monde, dissimule, aux yeux de tous, le redoutable instrument de puissance qu'est la géographie pour ceux qui ont le pouvoir.

Car la géographie sert, d'abord, à faire la guerre. Pour toute science, pour tout savoir doit être posée la question des préalables épistémologiques ; le processus scientifique est lié à une histoire et il doit être envisagé d'une part dans ses rapports avec les idéologies, d'autre part comme pratique ou comme pouvoir. Poser d'entrée de jeu que la géographie sert, d'abord, à faire la guerre n'implique pas qu'elle ne serve qu'à mener des opérations militaires ; elle sert aussi à organiser les territoires, non seulement en prévision des batailles qu'il faudra livrer contre tel ou tel adversaire, mais aussi pour mieux contrôler les hommes sur lesquels l'appareil d'Etat exerce son autorité. La géographie est d'abord un savoir stratégique étroitement lié à un ensemble de pratiques politiques et militaires, et ce sont ces

1. André MEYNIER, *Histoire de la pensée géographique en France*, PUF, 1969.

pratiques qui exigent le rassemblement articulé de renseignements extrêmement variés, au premier abord hétéroclites, dont on ne peut comprendre la raison d'être et l'importance, si l'on se cantonne au bien-fondé des découpages du Savoir pour le Savoir. Ce sont ces pratiques stratégiques qui font que la géographie est nécessaire, au premier chef, à ceux qui sont les maîtres des appareils d'Etat. S'agit-il vraiment d'une science ? Au fond, peu importe : la question n'est pas essentielle, dès lors que l'on prend conscience que l'articulation de connaissances relatives à l'espace qu'est la géographie est un savoir stratégique, un pouvoir.

La géographie, en tant que description méthodologique des espaces, tant sous les aspects qu'il est convenu d'appeler « physiques », que sous leurs caractéristiques économiques, sociales, démographiques, politiques (pour se référer à un certain découpage du savoir), doit absolument être replacée, en tant que pratique et en tant que pouvoir dans le cadre des fonctions qu'exerce l'appareil d'Etat, pour le contrôle et l'organisation des hommes qui peuplent son territoire et pour la guerre.

Beaucoup plus qu'une série de statistiques ou qu'un ensemble d'écrits, la carte est la forme de représentation géographique par excellence ; c'est sur la carte que doivent être portés tous les renseignements nécessaires à l'élaboration des tactiques et des stratégies. Cette formalisation de l'espace qu'est la carte n'est ni gratuite, ni désintéressée : moyen de domination indispensable, de domination de l'espace, la carte a d'abord été établie par des officiers et pour les officiers. La production d'une carte, c'est-à-dire la conversion d'un concret mal connu en une représentation abstraite, efficace, fiable, est une opération difficile, longue et coûteuse, qui ne peut être réalisée que par et pour l'appareil d'Etat. L'établissement d'une carte implique une certaine maîtrise politique et mathématique de l'espace représenté, et c'est un instrument de pouvoir sur cet espace et sur les gens qui y vivent. Il n'est pas étonnant qu'aujourd'hui encore un très grand nombre de cartes, et surtout les cartes à grande échelle, très détaillées, celles qu'on appelle souvent « cartes d'état-major », relèvent du secret militaire dans un grand nombre de pays. C'est le cas particulièrement des Etats communistes.

Si la géographie sert, d'abord, à faire la guerre et à exercer le pouvoir, elle ne sert pas qu'à cela : ses fonctions idéologiques et politiques, quoiqu'il en paraisse, sont considérables : c'est dans le contexte de l'expansion du pangermanisme (les impérialismes français et anglais se sont développés plus tôt dans des ambiances intellectuelles différentes) que Friedrich Ratzel (1844-1904) réalisa l'œuvre qui va considérablement influencer, encore aujourd'hui, la géographie humaine ; son *Anthropogeographie* est étroitement liée à sa *Politische Geographie*. Reprenant nombre de concepts ratzéliens, tel celui de *Lebensraum* (espace vital) et ceux de géographes américains et britanniques (comme Mackinder), le général géographe Karl Haushofer (1869-1946) donne, au lendemain de la Première Guerre mondiale, une impulsion décisive à la géopolitique. Certes, nombre de géographes considéreront qu'il est de la dernière incongruité d'établir un rapprochement entre leur géographie « scientifique » et l'entreprise du général étroitement lié aux dirigeants du Parti national-socialiste. La géopolitique hitlérienne fut l'expression la plus exacerbée de la fonction politique et idéologique que peut avoir la géographie. On peut même se demander si la doctrine du Führer n'a pas été inspirée dans une grande mesure par les raisonnements d'Haushofer, tant furent étroites leurs relations, en particulier dès 1923-1924, à l'époque où Adolf Hitler rédigeait *Mein Kampf* en prison à Munich.

Depuis 1945, il n'est pas de bon ton de faire référence à la géopolitique. Pourtant, d'une façon plus discrète, les stratèges des grandes puissances continuent le genre de recherches que les instituts de géopolitique de Munich et d'Heidelberg avaient entreprises. C'est en particulier aux Etats-Unis la tâche des services qui travaillent sur les orientations d'hommes comme Henry Kissinger (il a fait ses premières armes en tant qu'historien ; mais sa thèse porte déjà sur une discussion géopolitique par excellence : le Congrès de Vienne). Aujourd'hui plus que jamais, ce sont des arguments de type géographique qui imprègnent l'essentiel du discours politique, qu'il porte sur les problèmes « régionalistes » ou sur ceux, au niveau planétaire, du « centre » et de la « périphérie », du « Nord » et du « Sud ».

Mais la géographie ne sert pas seulement à étayer, par le flou de ses concepts, n'importe quelle thèse politique. En vérité, la fonction idéologique essentielle du discours de la géographie scolaire et universitaire a été surtout de *masquer*, par des procédés qui ne sont pas évidents, l'utilité pratique de l'analyse de l'espace, surtout pour la conduite de la guerre comme pour l'organisation de l'Etat et la pratique du pouvoir. C'est, surtout, lorsqu'il paraît « inutile » que le discours géographique exerce la fonction mystificatrice la plus efficace, car la critique de ses propos « neutres » et « innocents » paraît superflue. Le tour de force a été de faire passer un savoir stratégique militaire et politique pour un discours pédagogique ou scientifique parfaitement inoffensif. Nous le verrons, les conséquences de cette mystification sont graves. C'est pourquoi il est particulièrement important d'affirmer que la géographie sert, d'abord, à faire la guerre, c'est-à-dire de démasquer une de ses fonctions stratégiques essentielles et de démonter les subterfuges qui la font passer pour bonasse et inutile.

Dire que la géographie sert, *d'abord*, à la guerre et à l'exercice du pouvoir ne signifie pas rappeler les origines historiques du savoir géographique. *D'abord* doit être pris ici non pas au sens de « pour commencer, autrefois », mais au sens, de « *en premier lieu, aujourd'hui* ». A l'extrême rigueur, les géographes universitaires consentent à évoquer du bout des lèvres le rôle d'une sorte de « géographie primitive » (Alain Reynaud) à l'époque où le savoir établi par le géographe du roi était destiné, non pas à de jeunes élèves ou à leurs futurs professeurs, mais aux chefs de guerre et à ceux qui dirigent l'Etat. Mais les universitaires d'aujourd'hui considèrent tous, quelles que soient leurs tendances idéologiques, que la Vraie Géographie, la Géographie Scientifique (le Savoir pour le Savoir) dont il est seulement digne de parler n'apparaît qu'au XIXe siècle, avec les travaux d'Alexandre von Humboldt (1769-1859) et avec ceux de ses successeurs en cette fameuse Université de Berlin créée par son frère, homme d'Etat prussien de premier plan.

En vérité, la géographie existe depuis beaucoup plus longtemps, quoi qu'en disent les universitaires : les « grandes découvertes », ce n'est peut-être pas de la géographie ? Et les descriptions des géographes arabes du Moyen Age ? non plus ? La géographie existe depuis qu'existent des appareils d'Etat, depuis Hérodote (par exemple, pour le monde « occidental ») qui, en 446 avant l'ère chrétienne, ne raconte pas une Histoire (ou des histoires), mais procède à une véritable « enquête » (c'est le titre exact de son ouvrage) en fonction des visées de l'« impérialisme » athénien.

Effectivement, c'est seulement au XIXe siècle qu'est apparu le discours géographique scolaire et universitaire, destiné pour l'essentiel (du moins statistiquement) à de jeunes élèves. Discours hiérarchisé en fonction des degrés de l'institution scolaire, avec son couronnement savant, la géographie en tant que science « désintéressée ». Effectivement, c'est seulement au XIXe qu'apparaît la *géographie des professeurs* qui a été présentée comme la géographie, la seule dont il convient de parler.

Pourtant, depuis cette époque, la *géographie des officiers*, pour s'être faite discrète, n'en continue pas moins d'exister, avec un personnel spécialisé dont le nombre n'est pas négligeable, avec ses moyens qui sont devenus considérables (les satellites), ses méthodes, et elle continue d'être, comme depuis des siècles, un redoutable instrument de pouvoir. Cet ensemble de représentations cartographiques et de connaissances très variées envisagées dans leur rapport à l'espace terrestre et aux différentes pratiques du pouvoir forme un savoir clairement perçu comme stratégique par une minorité dirigeante ; elle l'utilise comme instrument de pouvoir. A la géographie des officiers décidant d'après les cartes de leur tactique et de leur stratégie, à la géographie des dirigeants de l'appareil d'Etat, structurant son espace en provinces, départements, districts, à la géographie des explorateurs (souvent des officiers) qui ont préparé la conquête coloniale et la « mise en valeur » s'est ajoutée la géographie des états-majors des grandes firmes et des grandes banques qui décident de la localisation de leurs investissements au plan régional, national et international. Ces différentes analyses géographiques, étroitement liées à des pratiques militaires, politiques, financières, forment ce que l'on peut appeler la « géographie des états-majors », depuis ceux des armées jusqu'à ceux des grands appareils capitalistes.

Mais cette géographie des états-majors est presque complètement ignorée par tous ceux qui ne la mettent pas en œuvre, car ses renseignements restent confidentiels ou secrets.

Aujourd'hui plus que jamais, la géographie sert d'abord à faire la guerre. La plupart des géographes universitaires s'imaginent que, depuis l'établissement de cartes relativement précises pour tous les pays, pour toutes les régions, les militaires n'ont plus besoin de recourir à ce savoir qu'est la géographie, aux connaissances disparates qu'elle rassemble (relief, climat, végétation, fleuves, répartition de la population, etc.). Rien n'est plus faux. D'abord, parce que les « choses » se transforment rapidement : si la topographie n'évolue que très lentement, l'implantation des installations industrielles, le tracé des voies de circulation, les formes de l'habitat se modifient à un rythme bien plus rapide, et il faut tenir compte de ces changements pour établir les tactiques et les stratégies.

D'autre part, la mise en œuvre de nouvelles méthodes de guerre implique l'analyse très précise des combinaisons géographiques, des rapports entre les hommes et les « conditions naturelles » qu'il s'agit justement de détruire ou de modifier pour rendre telle région invivable ou pour amorcer un génocide. La guerre du Viêt-nam fournit des preuves nombreuses que la géographie sert à faire la guerre de la façon la plus globale, la plus totale. Un des exemples les plus célèbres et les plus dramatiques a été la mise en application, en 1965, 1966, 1967 et surtout en 1972, d'un plan de destruction systématique du réseau des digues qui protègent les plaines extrêmement peuplées du Nord-Viêt-nam : elles sont traversées par des fleuves puissants, aux crues terribles, qui coulent, non pas dans des vallées, mais au contraire sur des levées, des remblais que forment leurs alluvions. Ces digues, dont l'importance est, de fait, absolument vitale, ne pouvaient faire l'objet de bombardements massifs, directs et évidents, car l'opinion publique internationale y aurait vu la preuve de la perpétration d'un génocide. Il fallait donc attaquer ce réseau de digues, de façon précise et discrète, en certains endroits essentiels pour la protection des quelques quinze millions d'hommes qui vivent dans ces petites plaines entourées de montagnes. Il fallait que les digues se rompent aux endroits d'où l'inondation aurait les conséquences les plus désastreuses [2].

Le choix des endroits qu'il fallait bombarder résulte d'un raisonnement géographique comportant plusieurs niveaux d'analyse spatiale.

En août 1972, c'est en mettant en œuvre un ensemble de raisonnements et d'analyses qui sont spécifiquement géographiques que j'ai pu démontrer, sans être contredit, la stratégie et la tactique que l'état-major américain mettait en œuvre contre les digues. Si c'est une démarche géographique qui a permis de démasquer le Pentagone, c'est bien parce que sa stratégie et sa tactique reposaient essentiellement sur une

2. Voir *Hérodote*, n° 1, 1976 : « Enquête sur le bombardement des digues du fleuve Rouge (Viêt-nam, été 1972) », ou *Unité et diversité du tiers monde* (1984), p. 300-348.

analyse géographique. Il s'est agi pour moi de reconstituer, à partir de renseignements éminemment géographiques, le raisonnement élaboré pour le Pentagone par d'autres géographes (« civils » ou en uniforme, peu importe).

Le plan de bombardement des digues du delta du fleuve Rouge ne doit pas être considéré comme une entreprise exceptionnelle, profitant de conditions géographiques très particulières, mais bien au contraire comme une opération qui relève d'une stratégie d'ensemble : la « guerre géographique », qui a été mise en œuvre massivement en Indochine et surtout au Sud-Viêt-nam pendant plus de dix ans ; elle y a été menée avec une combinaison de moyens puissants et variés. Cette stratégie a été souvent dénommée « guerre écologique » — on sait que l'écologie est un terme à la mode. Mais c'est en fait à la géographie qu'il faut se référer, car il ne s'agit pas seulement de détruire ou de bouleverser des rapports écologiques, il s'agit de modifier beaucoup plus largement la situation où vivent des milliers d'hommes.

En effet, il ne s'agit pas seulement de détruire la végétation pour obtenir des résultats politiques et militaires, de transformer la disposition physique des sols, de provoquer volontairement de nouveaux processus d'érosion, de bouleverser certains réseaux hydrographiques pour modifier la profondeur de la nappe aquifère (pour assécher les puits et les rizières), de détruire les digues : il s'est agi de modifier radicalement la répartition spatiale de peuplement en pratiquant par divers moyens une politique de regroupement dans les « hameaux stratégiques » et d'urbanisation forcée. Ces actions destructives ne sont pas seulement la conséquence involontaire de l'énormité des moyens de destruction mis en œuvre aujourd'hui sur un certain nombre d'objectifs par la guerre technologique et industrielle. Elles sont aussi le résultat d'une stratégie délibérée et minutieuse dont les différents éléments sont scientifiquement coordonnés dans le temps et dans l'espace.

La guerre d'Indochine marque dans l'histoire de la guerre et de la géographie une étape nouvelle : pour la première fois, des méthodes de destruction et de modification du milieu géographique à la fois dans ses aspects « physiques » et « humains » ont été mises en œuvre pour supprimer les conditions géographiques indispensables à la vie de plusieurs dizaines de millions d'hommes.

La guerre géographique, avec des méthodes différentes selon les contrées, peut être mise en œuvre dans tous les pays.

Affirmer que la géographie sert fondamentalement à faire la guerre ne signifie pas seulement qu'il s'agit d'un savoir indispensable à ceux qui dirigent les opérations militaires. Il ne s'agit pas seulement de déplacer des troupes et leurs armements une fois la guerre déclenchée ; il s'agit aussi de la préparer tant aux frontières qu'à l'intérieur, de choisir l'emplacement des places fortes et de construire plusieurs lignes de défense d'organiser les voies de circulation. « *Le territoire avec son espace et sa population* est non seulement la source de toute force militaire, mais il fait aussi partie intégrante des facteurs agissant sur la guerre, ne serait-ce que parce qu'il constitue le théâtre des opérations... », a écrit Carl von Clausewitz (1780-1831), dont Lénine a pu dire qu'il était « un des écrivains militaires les plus profonds..., un écrivain dont les idées fondamentales sont devenues aujourd'hui le bien de tout penseur ». Le livre de Clausewitz, *De la guerre*, peut et doit être lu comme un véritable livre de « géographie active ».

Vauban (1633-1707) n'est pas seulement un des plus célèbres bâtisseurs de fortifications, c'est aussi un des meilleurs géographes de son temps, un de ceux qui connaît le mieux le royaume, en particulier au plan des statistiques et des cartes ; son projet de « dîme royale » traduit une conception globale de l'Etat qu'il faudrait réorganiser. Vauban apparaît comme un des premiers théoriciens et praticiens, en France, de ce que l'on appelle aujourd'hui l'aménagement du territoire. Se préparer à la guerre, aussi bien à la lutte contre d'autres appareils d'Etat qu'à la lutte intérieure contre ceux qui mettent en cause le pouvoir ou veulent s'en emparer, c'est organiser l'espace de façon à y pouvoir agir le plus efficacement.

De nos jours, l'abondance des discours qui traitent de l'aménagement du territoire, en termes d'harmonie, d'équilibres meilleurs à trouver, sert surtout à masquer les mesures qui permettent aux entreprises capitalistes, surtout aux plus puissantes, d'accroître leurs bénéfices. Il faut se rendre compte que l'aménagement du territoire n'a pas pour seul but de maximiser le profit, mais aussi d'organiser stratégiquement l'espace économique, social et politique de façon que l'appareil d'Etat puisse être en mesure de juguler les mouvements populaires. Si cela est assez peu visible dans les pays les plus anciennement industrialisés, les plans d'organisation de l'espace sont manifestement fort influencés par les préoccupations policières et militaires dans les Etats où l'industrialisation est un phénomène récent et rapide.

Il importe aujourd'hui plus que jamais d'être attentif à cette fonction politique et militaire de la géographie, qui est la sienne depuis le début. De nos jours, elle prend une ampleur et des formes nouvelles, en raison non seulement du développement des moyens technologiques de destruction et d'information, mais aussi en raison des progrès de la connaissance scientifique.

De la géographie des professeurs aux écrans de la géographie-spectacle

Depuis la fin du XIXe siècle, on peut considérer qu'il existe deux géographies :

— l'une, d'origine ancienne, la géographie des états-majors, est un ensemble de représentations cartographiques et de connaissances variées rapportées à l'espace ; ce savoir syncrétique est clairement perçu comme éminemment stratégique par les minorités dirigeantes qui l'utilisent comme instrument de pouvoir ;

— l'autre géographie, celle des professeurs, qui est apparue il y a moins d'un siècle, est devenue un discours *idéologique* dont une des fonctions *inconscientes* est de masquer l'importance stratégique des raisonnements qui portent sur l'espace. Non seulement cette géographie des professeurs est coupée des pratiques politiques et militaires comme des décisions économiques (car les professeurs n'y participent point), mais elle dissimule aux yeux du plus grand nombre l'efficacité de l'instrument de pouvoir que sont les analyses spatiales. De ce fait, la minorité au pouvoir qui, elle, est très consciente de leur importance, est seule à les utiliser, en fonction de ses intérêts, et ce monopole de savoir est d'autant plus efficace que la majorité ne prête aucune attention à une discipline qui lui paraît si parfaitement « inutile ».

Depuis la fin du XIXe siècle, d'abord en Allemagne, puis surtout en France, la géographie des professeurs s'est déployée comme discours pédagogique de type encyclopédique, comme discours scientifique, énumération d'éléments de connaissance plus ou moins liés entre eux par divers types de raisonnements qui ont tous un point commun : masquer leur utilité pratique dans la conduite de la guerre ou dans l'organisation de l'Etat.

Entre, d'une part, les leçons des manuels scolaires, le résumé que dicte le maître, le cours de géographie à l'Université (qui sert à former des futurs professeurs) et, d'autre part, les diverses productions scientifiques ou l'ample discours que sont les « grandes » thèses de géographie, il existe bien évidemment des différences : les premiers se situent au niveau de la *reproduction* d'éléments de connaissances plus ou moins nombreux, alors que les secondes correspondent à une *production d'idées scientifiques* et d'informations nouvelles — leurs auteurs n'imaginant pas pour la plupart quelle utilisation pourra en être faite. Ils envisagent leurs travaux par excellence comme un savoir pour le savoir, et il n'est pas question de se demander, dans une thèse de géographie, à quoi, à qui, toutes ces connaissances accumulées pourraient bien servir (à ceux qui sont au pouvoir). Mais ces thèses et ces productions scientifiques ne sont lues que par une très petite minorité, et leur rôle social est bien moindre que celui des cours, des leçons et des résumés. Aussi ne faut-il pas juger de la fonction idéologique de la géographie des professeurs en ne prenant en considération que ses productions les plus brillantes ou les plus élaborées. Socialement, malgré leur caractère élémentaire caricatural ou dérisoire, les leçons apprises dans le livre de géographie, les résumés dictés par le maître, ces reproductions caricaturales et mutilantes ont une influence considérablement plus grande, car tout cela contribue à influencer durablement, dès leur jeunesse, des millions d'individus. Cette forme socialement dominante de la géographie scolaire et universitaire, dans la mesure où elle énonce une nomenclature et où elle inculque des éléments de connaissance énumérés sans lien entre eux (le relief — le climat — la végétation — la population...), a pour résultat non seulement de masquer l'enjeu politique de tout ce qui a trait à l'espace, mais aussi d'imposer implicitement l'idée qu'en géographie il n'y a rien à comprendre, qu'il ne faut seulement que de la mémoire...

De toutes les disciplines enseignées à l'école, au lycée, la géographie est la seule à paraître comme un savoir sans application pratique, en dehors du système de l'enseignement. Il n'en va pas de même pour l'histoire, dont on perçoit au minimum les liens avec l'argumentation de la polémique politique. La proclamation du caractère exclusivement scolaire et universitaire de la géographie, avec comme corollaire le sentiment de son inutilité, est une des plus habiles et des plus graves mystifications qui aient aussi efficacement fonctionné, malgré son caractère très récent, puisque, répétons-le, l'occultation de la géographie en tant que savoir politique et militaire, ne date que de la fin du XIXe siècle. Il est frappant de constater à quel point on néglige la géographie dans les milieux qui sont pourtant soucieux de débusquer toutes les mystifications et de dénoncer toutes les aliénations. Les philosophes, qui ont tant écrit pour juger de la validité des sciences et qui explorent aujourd'hui l'archéologie du savoir, gardent à l'égard de la géographie un silence total, alors que cette discipline aurait dû plus que tout autre attirer leur critique. Indifférence ou connivence inconsciente ?

La géographie des professeurs fonctionne en quelque sorte comme un écran de fumée qui permet de dissimuler aux yeux de tous l'efficacité des stratégies politiques, militaires, mais aussi des stratégies économiques et sociales qu'une autre géographie permet à quelques-uns de mettre en œuvre. La différence fondamentale entre cette géographie des états-majors et celle des professeurs ne tient pas à la gamme des éléments de connaissance qu'elles utilisent. La première recourt, aujourd'hui comme autrefois, aux résultats des recherches scientifiques menées par les universitaires, qu'il s'agisse de recherche « désintéressée » ou de géographie dite « appliquée ». Les officiers énumèrent les mêmes types de rubriques que celles qu'on ânonne dans les classes : relief-climat-végétation-fleuves-population..., mais avec cette différence fondamentale qu'ils savent très bien à quoi peuvent servir ces éléments de connaissance, alors que les élèves et leurs professeurs n'en ont aucune idée.

Il importe d'analyser les procédés qui entraînent cette occultation. Car celle-ci n'est pas le résultat d'un projet conscient, volontaire, des professeurs de géographie : en effet, leurs tendances idéologiques sont loin d'être identiques. S'ils participent à la mystification, ils sont eux-mêmes mystifiés. Cependant, avant de chercher à éclaircir cela, il importe de souligner que la géographie des professeurs n'est pas le seul paravent idéologique permettant de dissimuler que le savoir qui a trait à l'espace est un redoutable outil de pouvoir. Dans de nombreux pays, la géographie est absente des programmes de l'enseignement primaire et secondaire : c'est le cas aux Etats-

Unis, en Grande-Bretagne, et les masses n'y sont pas plus conscientes de l'importance stratégique des analyses spatiales. C'est qu'il existe un autre paravent idéologique. En effet, les cartes, les manuels et les thèses de géographie sont loin d'être les seules formes de représentation de l'espace ; la géographie est aussi devenue spectacle : la représentation des paysages est maintenant une inépuisable source d'inspiration, et plus seulement pour les peintres, mais pour un très grand nombre de gens. Elle envahit les films, les magazines, les affiches, qu'il s'agisse de recherches esthétiques ou de publicité. On n'a jamais tant acheté de cartes postales, ni « pris » autant de photographies de paysages que durant ces vacances où l'on « fait », guides en main, la Bretagne, l'Espagne ou... l'Afghanistan [1].

L'idéologie du tourisme fait de la géographie une des formes de la consommation de masse : des foules de plus en plus nombreuses sont saisies d'une véritable boulimie de paysages, source d'émotions esthétiques plus ou moins codifiées. La carte, représentation formalisée de l'espace que quelques-uns seulement savent lire et savent utiliser comme outil de pouvoir, est largement éclipsée dans l'esprit de tous par la photographie de paysage. Celle-ci, selon les « points de vue » et selon les distances focales des lentilles des objectifs, escamote les surfaces, les distances de la carte pour privilégier des silhouettes topographiques verticales qui se découpent, en diorama, sur fond de ciel. C'est tout un conditionnement culturel, toute une imprégnation qui nous incite tous tant que nous sommes à trouver beaux des paysages auxquels on ne prêtait pas attention autrefois.

Non seulement il faut aller voir tel ou tel paysage, mais la photographie, le cinéma reproduisent inlassablement certains types d'images-paysages qui sont, à y regarder de plus près, autant de messages, autant de discours muets, difficilement décodables, autant de raisonnements qui, pour être subrepticement induits par le jeu des connotations, n'en sont que plus impératifs. L'imprégnation de la culture sociale par les images-messages géographiques diffusées, imposées par les mass media, est historiquement un phénomène nouveau qui nous place en position de passivité, de contemplation esthétique

1. En 1976, quand ce livre a été écrit, ce pays était un lieu de tourisme à la mode. Depuis 1979, il a vu arriver d'autres « touristes »...

et qui repousse encore plus loin l'idée que certains peuvent analyser l'espace selon certaines méthodes afin d'être en mesure d'y déployer des stratégies nouvelles pour tromper l'adversaire et le vaincre.

Ainsi cette géographie-spectacle et la géographie scolaire, qui procèdent avec des méthodes si différentes qu'il peut sembler paradoxal de les rapprocher l'une de l'autre et de mettre en parallèle les effets idéologiques des westerns et ceux des manuels de géographie, concourent pourtant aux mêmes résultats :

1. dissimuler l'idée que le savoir géographique peut être un pouvoir, que certaines représentations de l'espace peuvent être des moyens d'action et des instruments politiques ;

2. imposer l'idée que ce qui a trait à la géographie ne relève pas d'un raisonnement, surtout pas d'un raisonnement stratégique mené en fonction d'un enjeu politique. Le paysage, ça se contemple, ça s'admire : la leçon de géographie, ça s'apprend, mais il n'y a rien à comprendre. Une carte, ça sert à quoi ? C'est une image pour agence de tourisme ou le tracé de l'itinéraire des prochaines vacances.

Un savoir stratégique aux mains de quelques-uns

En revanche, dans de nombreux Etats, la géographie est clairement perçue comme un savoir stratégique et les cartes, comme la documentation statistique qui donnent une représentation précise du pays, sont réservées à la minorité dirigeante.

Les cas extrêmes de cette confiscation des connaissances géographiques au profit de la minorité au pouvoir sont fournis par les Etats communistes dont les cartes détaillées, à grande échelle, sont strictement réservées aux responsables du Parti et aux officiers de l'armée et de la police. En URSS, les étudiants en géographie en sont privés et ils font les travaux pratiques sur des cartes imaginaires. On explique ces précautions par la menace *extérieure*, mais celles-ci sont bien superflues à l'époque où les satellites permettent à l'autre superpuissance d'établir les cartes les plus détaillées du territoire de l'adversaire. Cette confiscation des connaissances géographiques est essentiellement due à des problèmes de politique *intérieure*. Il en est de même dans de nombreux pays du tiers monde où la vente des cartes à grande échelle qui était relativement libre à l'époque coloniale, est interdite aujourd'hui, en raison des tensions sociales.

Dans la guérilla, une des forces des paysans est de très bien « connaître » tactiquement l'espace où ils combattent, mais, livrés à eux-mêmes, leur capacité s'effondre pour des opérations de niveau stratégique, car celles-ci doivent être menées à une autre échelle, sur des espaces beaucoup plus vastes qui ne peuvent être représentés que cartographiquement. Une étape très importante est franchie dans le développement de la guerre des partisans quand se constitue un état-major où l'on est capable de lire les cartes ; celles-ci sont souvent obtenues au prix de grands sacrifices.

Le besoin de savoir lire une carte se pose aussi dans les manifestations urbaines, la guérilla urbaine, la guerre de rue ; dans certains pays (communistes ou non), le public ne peut pas se procurer un plan de la ville, mais seulement le schéma des endroits fréquentés par les touristes ; cette mesure permet à la police de mettre en place un quadrillage d'autant plus efficace qu'il est difficile à d'autres qu'elle de se le représenter spatialement.

Après plusieurs expériences désastreuses, l'apprentissage de la lecture de carte apparaît comme une tâche prioritaire pour les militants dans un très grand nombre de pays. Cependant, dans la plupart des pays de régime démocratique, la diffusion des cartes, à toute échelle, est tout à fait libre, comme celle des plans de ville. Les autorités se sont d'ailleurs rendu compte qu'on pouvait les mettre sans inconvénient en circulation. En effet, les cartes, pour ceux qui n'ont pas appris à les lire et à les utiliser, n'ont pas plus de sens qu'une page d'écriture pour ceux qui n'ont pas appris à lire. Non que l'apprentissage de la lecture d'une carte soit une tâche difficile, mais encore faut-il qu'on en voie l'intérêt dans des pratiques politiques et militaires : la libre circulation des cartes dans les pays de régime libéral est le corollaire de la petitesse du nombre de ceux qui peuvent envisager d'entreprendre contre les pouvoirs en place d'autres types d'action que ceux qui sont convenus dans un système démocratique.

Cependant, l'importance de l'analyse géographique ne se pose pas seulement dans le domaine de la stratégie et la tactique sur le terrain, encore qu'il soit essentiel dans certaines circonstances.

L'absence quasi totale d'intérêt dans de très larges milieux, pour une réflexion de type géographique, permet aux états-majors des grandes firmes capitalistes de déployer des stratégies spatiales dont l'efficacité tient, pour une bonne part, non point tant au secret qui les entoure qu'à l'insouciance des militants et des syndicalistes à l'égard des phénomènes de localisation ; nous le verrons, l'analyse des marxistes, qui est fondamentalement de type historique, néglige presque totalement la répartition dans l'espace des phénomènes qu'elle appréhende théoriquement. Il faudrait plus souvent citer et analyser un des plus célèbres exemples de stratégie spatiale du capitalisme dans la région lyonnaise à propos du travail de la soie qu'évoquent pourtant tous les manuels de géographie.

En effet, dans la première moitié du XIXe siècle, les capitalistes lyonnais mirent en œuvre une véritable stratégie géographique pour briser la force politique des canuts : le travail de la soie, jusqu'alors concentré à Lyon, fut morcelé en un très grand nombre d'opérations techniques ; celles-ci furent disséminées dans un large rayon à la campagne : seul chaque marchand-fabricant savait où se trouvaient ces ateliers. De ce fait, les travailleurs, dispersés, ne pouvaient plus guère entreprendre d'action ensemble. Bel exemple de stratégie géographique du capitalisme que chaque militant devrait méditer. Loin d'appartenir au passé, cette stratégie est systématiquement mise en œuvre, depuis quelques décennies, avec le développement des phénomènes de sous-traitance et avec les politiques de décentralisation industrielle et d'aménagement du territoire. Une bonne partie du personnel qui travaille en fait pour telle ou telle grande firme industrielle ne se trouve plus dans les établissements qui dépendent juridiquement de cette firme ; elle se trouve dispersée dans une série d'entreprises dépendantes : où se trouvent-elles ? dans quelles petites villes ? dans quelles campagnes ? où recrutent-elles leurs ouvriers ? Il ne serait pas impossible de rassembler des informations, mais, faute de prêter attention à ces problèmes, on n'en sait généralement rien, pour le plus grand avantage des états-majors des grandes firmes.

Dans les milieux « de gauche », on dénonce régulièrement l'échec de la politique d'aménagement du territoire, sans chercher à voir en quoi ces « échecs » (en regard des objectifs officiellement proclamés) permettent en fait de fructueuses affaires à des entreprises qui, dans une véritable stratégie de mouvement, déplacent rapidement leurs investissements pour bénéficier des nombreux avantages qui leur sont consentis à l'installation d'une nouvelle usine revendue ou liquidée un peu plus tard...

Cette stratégie très mouvante est conduite sur des espaces beaucoup plus vastes par les dirigeants des multinationales : ils investissent et désinvestissent, dans les diverses régions de nombreux Etats, pour tirer le meilleur profit de toutes les différences (salariales, fiscales, monétaires) qui existent entre les divers endroits. Le système des multinationales est certes bien analysé, mais seulement au plan de la théorie : une analyse géographique précise des multiples points contrôlés par ces pieuvres n'est pas impossible et elle permettrait de mener contre elles des actions concertées, de dénoncer beaucoup plus efficacement leurs agissements concrets (tout en perfectionnant la théorie) : le savoir géographique ne doit pas rester l'apanage des dirigeants des grandes banques, il peut être retourné contre eux, à condition de prêter attention aux formes de localisation des phénomènes et de cesser de les évoquer abstraitement.

A une autre échelle, celle des problèmes qui se posent dans une ville, il est frappant de constater à quel point les habitants (et même les plus formés politiquement) se trouvent dans l'incapacité de prévoir les conséquences fâcheuses qu'entraîneront tel plan d'urbanisme, telle entreprise de rénovation, qui les concernent pourtant directement. Les municipalités, les promoteurs sont maintenant si conscients de cette incapacité qu'ils n'hésitent plus à pratiquer la « concertation » et à présenter les plans des futurs travaux, car les objections sont rares et faciles à éluder. En effet, les représentations spatiales n'ont de signification véritable que pour ceux qui savent les lire, et ils sont rares ; aussi les gens ne se rendront-ils compte à quel point ils ont été dupés qu'après l'achèvement des travaux, lorsque les changements seront devenus, pour une bonne part, irréversibles.

Ces quelques exemples, sommairement évoqués, suffisent sans doute à donner une idée de la gravité des conséquences qui résultent de cette myopie, de cette cécité parfois dont font montre tellement de militants à l'égard de l'aspect géographique des problèmes politiques. Autant ces responsables politiques, ces syndicalistes jouent un rôle important auprès des masses en expliquant les origines historiques d'une situation, en analysant les contradictions d'une formation sociale, autant ils négligent le savoir stratégique qu'est la géographie dont ils laissent le monopole à une minorité dirigeante qui, elle, sait s'en servir pour manœuvrer efficacement.

Myopie et somnambulisme au sein d'une spatialité devenue différentielle

Il importe donc de chercher quelles peuvent être les causes de cette myopie, de cette absence d'intérêt à l'égard des phénomènes géographiques, et surtout de comprendre pourquoi leur signification politique échappe généralement à tout le monde, sauf aux états-majors militaires ou financiers qui, eux, en sont parfaitement conscients.

Il faut d'abord se référer à l'ensemble des pratiques sociales et aux diverses représentations d'espaces qui leur sont liées.

Pour comprendre comment il est possible de poser ce problème aujourd'hui, il est utile de voir comment il s'est transformé historiquement.

Autrefois, aux époques où la plupart des hommes vivaient encore, pour l'essentiel, dans le cadre de l'autosubsistance villageoise, la quasi-totalité de leurs pratiques s'inscrivait, pour chacun d'eux, dans le cadre d'un seul espace, relativement limité : le terroir du village et, à la périphérie, les territoires qui relèvent des villages voisins. Au-delà commençaient les espaces mal connus, inconnus, mythiques. Pour s'exprimer et parler de leurs diverses pratiques, les hommes se référaient donc autrefois à la représentation d'un espace unique qu'ils connaissaient bien concrètement, par expérience personnelle.

Mais, depuis longtemps, les chefs de guerre, les princes ont eu besoin de se représenter d'autres espaces, considérablement plus vastes, les territoires qu'ils dominent ou qu'ils veulent dominer ; les marchands, aussi, doivent connaître les routes, les distances, dans les contrées lointaines où ils commercent avec d'autres hommes.

Pour ces espaces très vastes ou difficilement accessibles, l'expérience personnelle, le regard et le souvenir ne suffisent plus. C'est alors que le rôle du géographe-cartographe devient essentiel : il représente, à *des échelles différentes*, des territoires plus ou moins étendus ; à partir des « grandes découvertes », on pourra représenter la terre entière sur une seule carte à très petite échelle [1], et celle-ci sera longtemps orgueil des souverains qui la détiennent. Pendant des siècles, seuls les membres des classes dirigeantes ont pu appréhender par la pensée des espaces trop vastes pour les tenir sous leur regard, et ces représentations de l'espace étaient un instrument essentiel de pratique du pouvoir sur des territoires et des hommes plus ou moins éloignés. L'empereur doit avoir une représentation globale et précise de l'empire, de ses structures spatiales internes (provinces) et des Etats qui l'entourent — c'est une carte à petite échelle qui est nécessaire. En revanche, pour traiter des problèmes qui se posent dans telle ou telle des provinces, il lui faut une carte à plus grande échelle afin de pouvoir donner des ordres, à distance, avec une relative précision. Mais pour la masse des hommes, dominés, la représentation de l'empire n'est que mythique et ils n'ont de vision claire et efficace que celle du territoire villageois.

Aujourd'hui, il en est tout autrement, et la masse de la population se réfère plus ou moins consciemment, pour des pratiques très diverses, à des représentations de l'espace extrêmement nombreuses qui restent, dans la plupart des cas, fort imprécises.

En effet, le développement des échanges, de la division du travail, la croissance des villes, font que pour chacun l'espace (ou les espaces) limité dont il peut avoir la connaissance concrète ne correspond plus qu'à une petite partie seulement de ses pratiques sociales.

Les gens, de plus en plus différenciés professionnellement, sont chacun intégrés (sans qu'ils s'en rendent clairement compte) dans de multiples réseaux de relations sociales qui fonctionnent sur des distances plus ou moins vastes (relations de patron à employés, de vendeur à consommateurs, d'administrateur à administrés...). Les organisateurs et les responsables de chacun

---

1. Rappelons, même aux géographes, qui font souvent le contresens, que plus l'échelle d'une carte est dite « petite », et plus la surface du territoire représenté est considérable ; plus la carte est dite « à grande échelle », plus elle représente de façon détaillée un espace restreint.

de ces réseaux, c'est-à-dire ceux qui détiennent les pouvoirs administratifs et financiers, ont, eux, une idée précise de son extension et de sa configuration ; lorsqu'un industriel ou un commerçant ne connaît pas bien l'extension de son marché, il fait faire, pour être plus efficace, une étude où l'on distinguera l'influence qu'il exerce (et celle qu'il peut avoir) au niveau local, régional, national, en tenant compte des positions de ses concurrents.

En revanche, dans la masse des travailleurs et des consommateurs, chacun n'a qu'une connaissance très partielle et très imprécise des multiples réseaux dont il dépend et de leur configuration. En effet, dans l'espace, ces différents réseaux ne se disposent pas avec des contours identiques, ils « couvrent » des territoires de tailles très inégales et leurs limites se chevauchent et s'entrecroisent.

Autrefois, chaque homme, chaque femme parcourait à pied son propre territoire (celui où s'inscrivaient toutes les activités du groupe auquel il appartenait) ; il se repérait sans difficulté dans cet espace *continu*, dont aucun élément lui était inconnu.

Aujourd'hui, c'est sur des distances beaucoup plus considérables que, chaque jour, les gens se déplacent ; il vaudrait mieux dire qu'ils sont déplacés passivement, soit par les transports en commun, soit par des moyens de circulation individuels, mais sur des axes canalisés, fléchés qui traversent des espaces ignorés. Dans ces déplacements de masse journaliers, chacun va plus ou moins solitairement vers sa destination particulière ; on ne connaît bien que deux endroits, deux quartiers (celui où l'on dort et celui où l'on travaille) ; entre les deux, il y a, pour les gens, non point tout un espace (il reste inconnu, surtout si on le traverse en tunnel par le métro), mais bien plutôt, un temps, le temps de parcours, ponctué par l'énumération des noms de stations.

Il y a aussi, pour ceux qui ne sont pas les plus démunis, les migrations de week-end à plus ou moins grande distance, vers la « résidence secondaire », et les déplacements de vacances, lorsqu'on va passer quelque temps, « chez pépé et mémé ».

Pour illustrer cartographiquement la considérable transformation depuis un siècle des pratiques et représentations spatiales dans un pays comme la France, envisageons un exemple théorique relativement simple, celui d'un groupe villageois, bien qu'il ne soit plus représentatif aujourd'hui que d'une minorité de la population française.

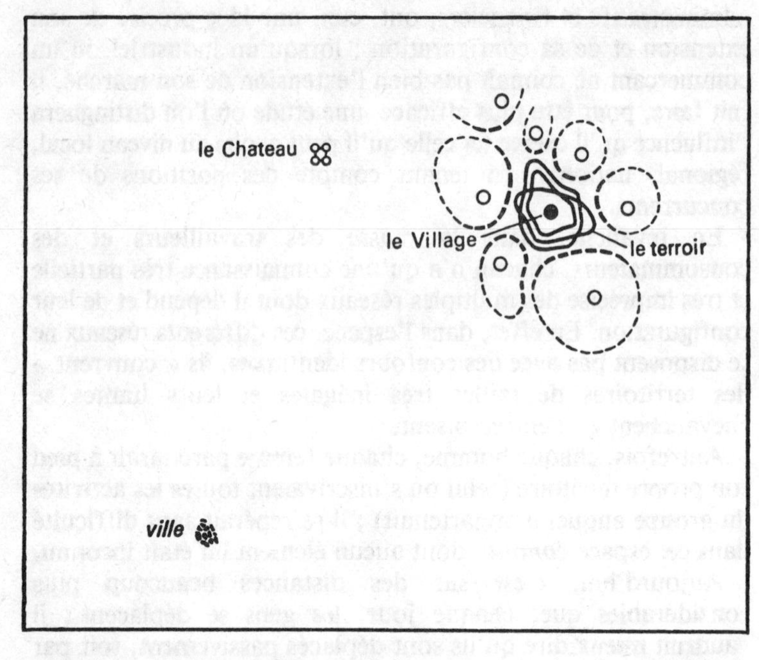

Le schéma théorique ci-dessus symbolise ce que pouvaient être autrefois, à l'époque où une relative autosubsistance existait encore, les représentations et pratiques spatiales d'un groupe de villageois. Le schéma serait sensiblement plus compliqué dans le cas d'un habitat dispersé.

Les villageois qui sont encore en grande majorité des agriculteurs à la fin du XIXe siècle, connaissent très bien le terroir de leur commune, les limites de leur paroisse où s'exercent alors la plupart de leurs pratiques spatiales (déplacements pour les travaux agricoles et pour la chasse, par exemple). Ils connaissent moins les terroirs des communes voisines, mais ils y ont des relations familiales.

Au-delà d'un cercle d'une dizaine de kilomètres de rayon, ils ne connaissent plus grand chose, sauf le long de la route qui mène à la ville où certains d'entre eux se rendent pour le marché hebdomadaire. C'est aussi le chef-lieu de canton, là où se trouvent le médecin, le notaire, les gendarmes.

Les villageois entendent bien parler du département et de la nation ou de l'Etat, mais ce sont, pour eux, des représentations assez floues qui ont, surtout la nation, un rôle idéologique important.

La plupart des pratiques spatiales habituelles du groupe villageois (et même de chaque famille) s'inscrivent dans un petit nombre d'ensembles spatiaux de dimensions relativement restreintes et emboîtés les uns dans les autres.

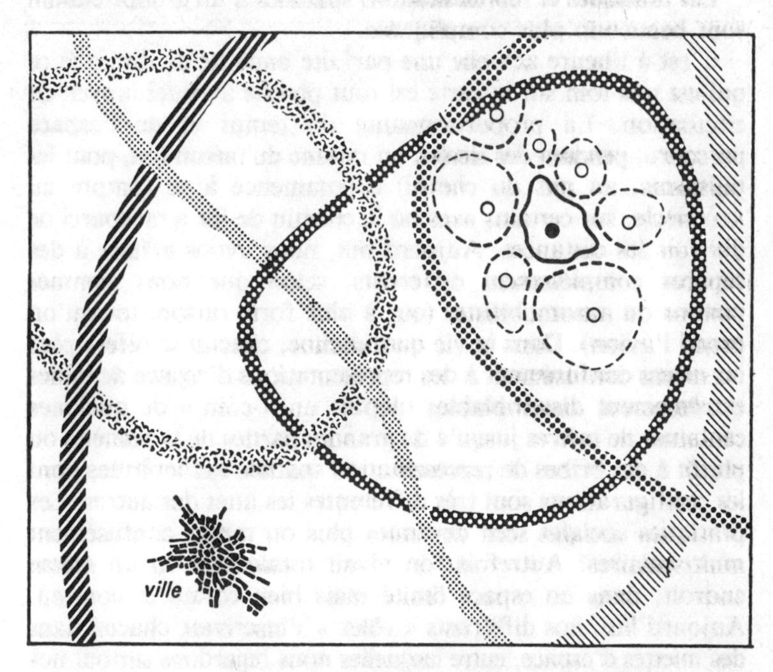

Le schéma théorique ci-dessus symbolise les représentations et pratiques spatiales d'un groupe villageois aujourd'hui. Grâce à l'automobile, les liaisons routières à plus ou moins grandes distances se sont multipliées et intensifiées et les pratiques spatiales se sont beaucoup étendues et diversifiées socialement. Au sein du village, les agriculteurs ne sont plus aussi majoritaires qu'autrefois. De plus, même pour eux, les limites communales ne sont plus le cadre que d'une partie de leurs pratiques agricoles : ils cultivent des terres dans les communes voisines et dépendent directement d'un certain nombre de grands réseaux commerciaux (ramassage du lait, par exemple) et d'aires d'influence (Crédit agricole) dont ils ne connaissent pas l'extension ni les contours.

Mais le village est aussi habité par des personnes qui vont, chaque jour, travailler à la ville voisine, où les cars de ramassage scolaire conduisent aussi les élèves tous les matins. L'école communale est fermée, tout comme l'église paroissiale où la messe n'est plus célébrée que quelques dimanches par an. La ville voisine où l'on se rend de plus en plus fréquemment n'est cependant plus la seule relation urbaine de ces villageois qui vont, de temps à autres, vers des centres citadins plus importants, pour des achats exceptionnels ou pour consulter par exemple un médecin spécialiste.

La diversification des pratiques sociales au sein du groupe villageois qui n'a plus sa cohérence d'antan, la diversité des pratiques spatiales d'un même ménage, d'un même individu peuvent se traduire sur la carte par un grand nombre d'ensembles spatiaux de dimensions et de contours très différents les uns des autres. En effet les diverses pratiques sociales ont chacune une configuration spatiale particulière. On aboutit ainsi à un enchevêtrement d'ensembles spatiaux qui sont en *intersection* les uns avec les autres.

Les pratiques et représentations spatiales d'un groupe citadin sont beaucoup plus compliquées.

C'est à l'heure actuelle une parfaite banalité de dire que ce qui est très loin sur la carte est tout proche avec tel moyen de circulation. La proportionnalité du temps et de l'espace parcouru, pendant des siècles, au rythme du piéton (ou, pour les puissants, au pas du cheval) a commencé à se rompre au XIXe siècle, sur certains axes où le chemin de fer a raccourci de dix fois les distances. Aujourd'hui, nous avons affaire à des espaces complètement différents, selon que nous sommes piétons ou automobilistes (ou, à plus forte raison, lorsqu'on prend l'avion). Dans la vie quotidienne, chacun se réfère plus ou moins confusément à des représentations d'espace de tailles extrêmement dissemblables (depuis un « coin » de quelques centaines de mètres jusqu'à de grandes parties de la planète) ou plutôt à des bribes de représentation spatiale enchevêtrées dont les configurations sont très différentes les unes des autres. Les pratiques sociales sont devenues plus ou moins confusément multiscalaires. Autrefois, on vivait totalement en un même endroit, dans un espace limité mais bien connu et continu. Aujourd'hui, nos différents « rôles » s'inscrivent chacun dans des miettes d'espace, entre lesquelles nous regardons surtout nos montres lorsqu'on nous fait passer, chaque jour, de l'une à l'autre. Si les somnambules se déplacent sans savoir pourquoi dans un lieu qu'ils connaissent, nous ne savons pas *où* nous sommes dans les divers endroits où nous avons à faire. Nous vivons désormais une *spatialité différentielle* [2] faite d'une multiplicité de représentations spatiales de dimensions très diverses qui correspondent à toute une série de pratiques et d'idées plus ou moins dissociées ; on peut distinguer schématiquement :

— d'une part, les diverses représentations de l'espace auxquelles se réfèrent nos différents déplacements ; en très flou, pour la plupart des gens, elles correspondraient, s'ils savaient les lire, au plan du quartier et à celui du métro, à la carte de l'agglomération où s'effectuent les migrations journalières, à la carte au 1/200 000° des déplacements de week-end ou à la carte à plus petite échelle qui représente les grands axes routiers ;

2. Cette expression a été employée par Alain Reynaud dans *La Géographie entre le mythe et la science*, travaux de l'Institut de géographie de Reims, 1974. Elle est utilisée ici dans un sens sensiblement différent.

— d'autre part, les configurations spatiales des différents réseaux dont nous dépendons objectivement (même sans le savoir) : les réseaux de type administratif (commune, département), la « carte scolaire » qui détermine l'admission des élèves dans tel ou tel établissement, l'espace de chalandise d'un supermarché, la zone d'influence de telle ville, le réseau des sous-traitants de telle grande entreprise, le groupe financier qui la contrôle — ces divers ensembles spatiaux ne coïncident pas ;

— enfin, depuis quelques décennies, le rôle croissant des mass media impose à l'esprit de chacun toute une gamme de termes géopolitiques qui correspondent à des représentations spatiales (l'Europe des neuf, l'Europe de l'Ouest et l'Europe de l'Est, les pays sous-développés, les pays du Sahel, l'Amérique latine, la confrontation Est-Ouest ou le « dialogue » Nord-Sud, etc.) et toute la série des paysages touristiques.

Ces représentations, souvent fort imprécises, mais qui sont plus ou moins familières, prolifèrent au fur et à mesure que les phénomènes relationnels de toutes sortes se multiplient et s'élargissent et que la « vie moderne » se propage à la surface du globe.

Le développement de ce processus de spatialité différentielle se traduit par cette prolifération des représentations spatiales, par la multiplication des préoccupations relatives à l'espace (ne serait-ce qu'en raison de la multiplication des déplacements). Mais cet espace dont tout le monde parle, auquel on se réfère tout le temps, il est de plus en plus difficile de l'appréhender globalement pour se rendre compte de ses rapports avec une pratique globale.

C'est sans doute une des raisons majeures pour lesquelles les problèmes politiques sont si rarement posés en fonction de l'espace par ceux qui ne sont pas au pouvoir. En effet, les problèmes politiques correspondent à toute une gamme de réseaux de domination qui ont des configurations spatiales très diverses et qui s'exercent sur des espaces plus ou moins considérables (depuis le niveau du village et du canton jusqu'à la dimension planétaire).

Dans un Etat, plus le système politique est devenu complexe, plus les formes de pouvoir se sont diversifiées, et plus s'enchevêtrent les limites des circonscriptions administratives, électorales et les contours, plus ou moins flous et discrets, de multiples formes d'organisation qui ont un rôle politique ; par exemple, le rôle de tel réseau bancaire dans telle région, les

« chasses gardées », les zones où s'exerce de façon plus ou moins occulte telle influence hégémonique, l'extension spatiale de telle « clientèle », etc.

L'affrontement des forces au niveau planétaire se déroule non seulement à travers les structures nationales, mais jusque dans l'intrication des composantes politiques de certains endroits.

Pour se reconnaître assez facilement dans cet enchevêtrement pour une bonne part formé de renseignements confidentiels, pour être en mesure de les utiliser avec efficacité, point n'est besoin d'être génial ; il faut surtout faire partie du groupe au pouvoir et avoir le soutien des classes dominantes.

Une des fonctions des multiples structures de l'appareil d'Etat est de recueillir en permanence des informations (c'est une des tâches premières des gendarmes), et les notables sont, eux aussi, bien informés et très désireux de le faire savoir « en haut lieu ». En revanche, les rapports entre les structures de pouvoir et les formes d'organisation de l'espace restent en grande partie masqués à ceux qui ne sont pas au pouvoir. Pour y voir plus clair, plutôt que de tenter de percer le secret qui entoure certains renseignements très précis dont l'intérêt est somme toute assez conjoncturel, il faut disposer d'une méthode qui permette d'organiser une masse embrouillée d'informations partielles ; elles sont, pour une grande part, accessibles dès lors qu'on a saisi les raisons d'y prêter attention.

La géographie scolaire qui ignore toute pratique eut d'abord pour tâche de montrer la patrie

L'imprégnation de la culture sociale par un fouillis de représentations spatiales hétéroclites fait qu'il devient de plus en plus difficile de s'y reconnaître, mais aussi de plus en plus nécessaire, car les pratiques spatiales ont un poids de plus en plus grand dans la société et dans la vie de chacun. Le développement du processus de spatialité différentielle entraînera nécessairement, tôt ou tard, le développement, au niveau collectif, *d'un savoir penser l'espace*. C'est-à-dire la familiarisation de chacun avec un outillage conceptuel qui permet d'articuler en fonction de diverses pratiques les multiples représentations spatiales qu'il convient de distinguer, quelles que soient leur configuration et leur échelle, de façon à disposer d'un instrument d'action et de réflexion. Voilà ce qui devrait être la raison d'être de la géographie. Pendant des siècles, le développement des connaissances géographiques a été dans une grande mesure étroitement lié aux seuls besoins des minorités dirigeantes dont les pouvoirs s'exerçaient sur des espaces trop vastes pour en avoir une connaissance directe ; la masse de la population, parce qu'elle vivait alors de l'autosubsistance villageoise ou dans le cadre d'échanges fort limités spatialement, n'avait pas besoin de connaissances quant aux espaces lointains.

Aujourd'hui l'ensemble de la population vit de plus en plus une spatialité différentielle, ce qui implique que tôt ou tard, nécessairement, elle soit en mesure de se comporter autrement qu'en somnambules téléguidés ou canalisés. Pendant des siècles, le savoir lire-écrire et compter a été l'apanage des classes dirigeantes, et elles tiraient de ce monopole un surcroît de pouvoir. Mais les transformations économiques, sociales, politiques, culturelles dans l'Europe du XIXe siècle comme aujourd'hui dans les pays « sous-développés » font qu'il est devenu indispensable que l'ensemble de la population sache lire. Et il devient indispensable que les hommes sachent penser l'espace.

En effet, aujourd'hui les phénomènes relationnels ont pris une telle intensité, les effectifs en déplacement sur certains axes atteignent une telle ampleur, que l'état de myopie collective à l'égard des phénomènes spatiaux commence à poser des problèmes graves, même si cette myopie n'est pas par ailleurs sans avantage pour ceux qui ont un pouvoir. Parmi les difficultés de fonctionnement que connaissent les sociétés dites « de consommation », certaines, les plus spectaculaires, sont étroitement liées aux problèmes de spatialité différentielle : par exemple, la paralysie totale de la circulation, pendant des heures, sinon pendant des jours sur des centaines de kilomètres de route. Cette situation dramatique, qui se répète de plus en plus fréquemment lors des migrations estivales, lors des grands week-ends, prend d'évidence les dimensions de l'absurde, lorsqu'on sait qu'il y a des centaines de kilomètres de routes libres, de part et d'autre de l'axe paralysé par la file interminable de voitures. Mais la plupart des automobilistes n'osent pas s'y engager, ou n'imaginent même pas pouvoir les utiliser, même s'ils disposent de toutes les cartes nécessaires pour se guider dans ce réseau. Elles ne leur sont d'aucune utilité puisque, malgré l'aide de multiples panneaux indicateurs, ils ne savent même pas lire ces cartes routières, pourtant bien simples et bien commodes. Et ce sont les gendarmes qui en viennent à dire qu'il faut apprendre aux gens à lire une carte !

L'exemple de cette incapacité collective dans le cadre d'une pratique simple dont l'efficacité est pourtant si immédiatement évidente donne une idée du dénuement intellectuel dans lequel se trouveraient les gens, s'il leur fallait construire un raisonnement un peu plus complexe, un peu moins lié directement au concret.

Or, tous ces gens savent lire ; ils sont allés à l'école et ils y ont, comme on dit, « fait de la géographie », à plus forte raison s'ils sont allés au collège ou au lycée. L'idée qu'on puisse poser le problème de la géographie à propos des embouteillages routiers ne peut manquer de paraître à tout le monde parfaitement saugrenu, et peut-être surtout à la plupart des professeurs de géographie. Ceci donne la mesure de la coupure qui existe entre le discours de la géographie des professeurs et n'importe quelle pratique spatiale, surtout si elle est tout à fait usuelle. « La géographie ça ne sert à rien... »

En France, l'enseignement de la géographie a été institué à la fin du XIXe siècle, justement à l'époque où le processus de spatialité différentielle commençait à prendre de l'ampleur pour la plus grande masse de la population. La géographie est alors à ce point liée à l'école, dans la représentation collective, que la carte de France ou le globe terrestre figurent toujours en bonne place sur les images qui montrent une salle de classe. On va à l'école pour apprendre à lire, à écrire et à compter. Pourquoi pas pour apprendre à lire une carte ? Pourquoi pas pour comprendre la différence entre une carte à grande échelle et une carte à petite échelle, et se rendre compte qu'il n'y a pas seulement une différence de rapport mathématique avec la réalité, mais qu'elles ne montrent pas les mêmes choses ? Pourquoi ne pas apprendre à esquisser le plan du village ou du quartier ? Pourquoi ne pas représenter sur le plan de sa ville les différents quartiers que l'on connaît, celui où l'on vit, ceux où les parents vont travailler, etc. Pourquoi ne pas apprendre à s'orienter, à se promener en forêt, en montagne, à choisir tel itinéraire pour éviter telle grande route qui est encombrée ?

On peut croire qu'il ne s'agit que de recettes pédagogiques assez benoîtes ; elles ne sont cependant que très exceptionnellement mises en œuvre, tant en raison de la contrainte des programmes que de la propension des professeurs, quelle que soit leur tendance idéologique, à reproduire la géographie de leurs maîtres, qui est tout autre. On peut penser que cette orientation pratique de l'enseignement de la géographie est parfaitement illusoire et qu'elle ne pouvait intéresser personne à la fin du XIXe siècle. C'est pourtant la géographie qui aurait été la plus proche de celle des officiers et c'est ce type de formation qui, pour une très grande part, explique dans les classes dirigeantes le succès du scoutisme. Ce savoir agir sur le terrain (savoir lire une carte, savoir suivre une piste...), le scoutisme dont l'intérêt politique et militaire est explicitement souligné, a été réservé aux jeunes des classes dirigeantes, surtout dans les pays anglo-saxons (le verbe *to scout :* aller en reconnaissance).

Le discours géographique scolaire qui a été imposé à tous à la fin du XIXe siècle et dont le modèle continue d'être reproduit aujourd'hui, quels qu'aient pu être par ailleurs les progrès dans la production des idées scientifiques, se coupa totalement de toute pratique, et surtout s'est interdit toute application pratique. De toutes les disciplines enseignées à l'école, au lycée, la géographie, encore aujourd'hui, est la seule à paraître par excellence comme un savoir sans la moindre application pratique en dehors du système d'enseignement. Pas question que la carte puisse apparaître comme un outil, comme un instrument abstrait dont il faut connaître le code pour pouvoir personnellement comprendre l'espace et s'y diriger ou l'envisager en fonction d'une pratique. Pas question que la carte puisse apparaître comme un instrument de pouvoir que chacun peut utiliser s'il sait la lire. La carte doit rester la prérogative de l'officier, et l'autorité qu'en opération il exerce sur « ses hommes » ne tient pas seulement au système hiérarchique, mais au fait que lui seul sait lire la carte et peut décider des mouvements, alors que ceux qu'il a sous ses ordres ne savent pas.

Pourtant l'instituteur, le professeur, surtout autrefois, faisaient « faire » force cartes. Mais ce ne sont pas des cartes à grande échelle dont chacun pourrait voir comment elles rendent compte d'une réalité spatiale que l'on connaît bien, mais des cartes à très petite échelle, sans utilité dans le cadre des pratiques usuelles de chacun ; ce sont en fait des images symboliques que l'élève doit redessiner lui-même : autrefois il était même interdit de décalquer peut-être pour mieux s'en imprégner.

L'image qui devait être, maintes fois, reproduite par tous les élèves (il n'en est plus de même aujourd'hui), c'était d'abord celle de la Patrie. D'autres cartes représentent d'autres Etats, entités politiques dont le schématisme des caractères symboliques vient d'autant mieux renforcer l'idée que la nation où l'on vit est une *donnée* intangible (donnée par qui ?), présentée comme s'il s'agissait non point d'une construction historique, mais d'un ensemble spatial engendré par la nature. Il est symptomatique que le terme de « pays » qui est particulièrement ambigu ait supplanté, et dans tous les discours, les notions plus politiques d'Etat, de nation...

Probablement cette coupure radicale que le discours géographique scolaire et universitaire établit en regard de toute pratique, cette occultation de toutes les analyses de l'espace à grande échelle, qui est le premier pas pour appréhender cartographiquement la « réalité », résultent pour une bonne part du souci, inconscient, de ne pas se départir d'une sorte d'incantation patriotique, de ne pas risquer de confronter l'idéologie nationale aux contradictions des réalités.

Aujourd'hui encore dans tous les Etats, et surtout dans les nouveaux Etats récemment sortis de la domination coloniale, l'enseignement de la géographie est incontestablement lié à l'illustration et à l'édification du sentiment national. Que cela plaise ou non, les arguments géographiques pèsent très lourd, non seulement dans le discours politique (ou politicien), mais aussi dans l'expression populaire de l'idée de patrie, qu'il s'agisse des reflets d'une idéologie nationaliste invoquée par des colonels, une petite oligarchie, une « bourgeoisie nationale », une bureaucratie de grande puissance, ou qu'il s'agisse des sentiments du peuple vietnamien. L'idée nationale a plus que des connotations géographiques ; elle se formule pour une grande part comme un fait géographique : le territoire national, le sol sacré de la patrie, la carte de l'Etat avec ses frontières et sa capitale, est un des symboles de la nation. L'instauration de l'enseignement de la géographie en France à la fin du XIXe siècle n'a donc pas eu pour but (comme dans la plupart des pays) de diffuser un outillage conceptuel qui aurait permis d'appréhender *rationnellement* et stratégiquement la spatialité différentielle, de mieux penser l'espace, mais de naturaliser « physiquement » les fondements de l'idéologie nationale, de les ancrer sur l'écorce terrestre ; parallèlement, l'enseignement de l'histoire a eu pour fonction de relater les malheurs et les succès de la Patrie.

La fonction du discours géographique a une telle importance que pendant des décennies il a imprégné l'essentiel des lectures de millions de petits Français : c'est le fameux *Tour de France de deux enfants*, livre de lecture courante de l'école primaire, qui détient de loin, après les catéchismes, le record de l'édition : huit millions d'exemplaires depuis 1877.

La géographie des professeurs, telle qu'elle se manifeste dans les manuels avant les années vingt, occulte certes déjà les problèmes politiques intérieurs de la nation, mais elle ne dissimule point des sentiments patriotiques qui sont le plus souvent du plus beau chauvinisme. Dans les livres d'enseignement primaire, on recensait, alors, le nombre de cuirassés et l'effectif des armées des grandes puissances.

La mise en place d'un puissant concept-obstacle : la région personnage

On ne manquera pas d'objecter que cette géographie cocardière a disparu il y a cinquante ans — ce qui est vrai —, et que depuis lors les leçons de géographie, au moins dans les grandes classes du secondaire, ne sont plus cette énumération relief-climat-végétation-population, mais une étude des différentes « régions ». On ne manquera pas surtout d'affirmer qu'il est inadmissible de faire le procès de la géographie, en ne prenant en considération que ses formes les plus élémentaires ou caricaturales, avatars qui affecteraient toute « discipline scientifique » lorsqu'elle est enseignée à l'école ou au lycée. Certes, les meilleures productions universitaires sont présentées comme « modèles » aux étudiants, qui deviendront les professeurs. Mais, une fois enseignants, qu'en pourront-ils faire, quelles que soient leur conscience et leur intelligence (professionnelles et politiques) ?

Et d'ailleurs est-il sûr qu'il y ait, quant aux fonctions sociales, une différence aussi fondamentale que le disent les géographes universitaires, entre la géographie des « grandes thèses » qui ont fait le prestige de l'« école géographique française », et cette géographie des lycées dont les élèves aujourd'hui ne veulent plus entendre parler ?

L'une et l'autre (à la différence de la géographie cocardière qui ne dissimulait pas ses préoccupations de politique extérieure) se caractérisent par l'occultation de tout problème politique. Elles sont un savoir pour le savoir ; elles procèdent toutes deux de l'œuvre de Vidal de La Blache (1845-1918), qui est considéré unanimement comme le « père » de cette « Ecole géographique française » qui fut réputée dans le monde entier, où elle exerça une grande influence, tant par son orientation vers la « *géographie régionale* » que par la *dépolitisation* du discours qu'elle imposait. Son rôle idéologique a été considérable.

Avant de parler plus avant du rôle de Vidal de La Blache, il importe de souligner qu'en vérité la corporation des géographes universitaires n'a retenu qu'un seul aspect de sa pensée, le *Tableau de la géographie de la France*, et qu'elle a systématiquement oublié l'autre grand livre de Vidal, *La France de l'Est* (1916), parce qu'il y accorde une très grande importance aux phénomènes politiques. Il s'agit en effet d'un livre de géopolitique.

Dans ces pages fort critiques à l'égard de la pensée « vidalienne », il ne s'agit que du premier aspect de l'œuvre de Vidal de La Blache, celui que la corporation a privilégié : l'autre Vidal, qu'elle ignore complètement, ne sera évoqué qu'ultérieurement, car il n'a été que récemment redécouvert.

Avec son *Tableau de la géographie de la France* (1905), modèle tant de fois repris pour tant de thèses, de cours et de manuels, ou avec les 15 tomes de la *Géographie universelle* (A. Colin) dont il a influencé la conception, Vidal de La Blache a introduit l'idée des descriptions régionales approfondies, qui sont considérées comme la forme la plus fine du raisonnement géographique. Il montre comment les paysages d'une « région » sont le résultat de l'enchevêtrement tout au long de l'histoire des influences humaines et des données naturelles. Mais dans ses descriptions, Vidal donne la plus grande place aux *permanences*, à tout ce qui dans les paysages est mis en place depuis longtemps, tout ce qui est l'héritage durable des phénomènes naturels ou des évolutions historiques anciennes. En revanche, il a évacué dans ces descriptions tout ce qui relève de l'évolution économique et sociale récente, en fait tout ce qui avait moins d'un siècle et traduisait les effets de la « révolution industrielle ». Certes, Vidal de La Blache a combattu la thèse « déterministe » selon laquelle les « données naturelles » (ou telle d'entre elles) exercent une influence directe et déterminante sur les « faits humains », et il donne un rôle majeur à l'histoire pour rendre compte des diverses façons dont les hommes sont en rapport avec les « faits physiques ».

Vidal de La Blache installe, avec quel style !, sa conception de l'« homme-habitant », et celle-ci refoule hors des limites de la réflexion géographique l'homme dans ses rapports sociaux et, à plus forte raison, dans les rapports de production. De plus, l'« homme vidalien » n'habite guère les villes, il loge surtout à la campagne, il est surtout l'habitant de paysages que ses lointains ancêtres ont modelés et aménagés.

Aujourd'hui les géographes s'accordent pour estimer que Vidal a trop peu parlé des villes, sinon pour évoquer leur fondation et les premières étapes de leur croissance, et qu'il n'a guère prêté d'attention à des phénomènes aussi spectaculaires que le développement de l'industrie. Mais la plupart des géographes d'aujourd'hui estiment que rien n'empêche de compléter et d'actualiser le *Tableau de la géographie de la France* que Vidal a tracé dans les premières années du siècle. Et tous de célébrer le modèle d'analyse qu'il fit des différentes *régions* françaises : avec quelle finesse ne décrit-il pas la « personnalité », l'« individualité » de la « Champagne », de la « Lorraine », de la « Bretagne », du « Massif central », des « Alpes », dénominations qui nous sont devenues tellement familières qu'on a l'impression que ce découpage a toujours existé. Il est réutilisé, reproduit pour toutes les monographies, qui ont précisé, complété la description du Maître, et dans tout le discours scolaire et universitaire. A la suite de Vidal, qui dresse le plan d'une volumineuse *Géographie universelle*, que ses disciples réaliseront, la description géographique de n'importe quel pays consistera à présenter les différentes « *régions qui le composent* » et à les décrire les unes après les autres. Cette méthode, qui ne provoqua pas de critique, connaît un succès considérable dans le monde entier et fait le renom de l'école géographique française. La géographie régionale est imposée comme la « géographie par excellence » : n'associe-t-elle pas étroitement tout à la fois la « géographie physique » et la « géographie humaine » ? Cette démarche de la géographie régionale consiste à *constater* comme évidence l'existence dans un pays d'un certain nombre de régions et à les décrire les unes après les autres ou à analyser seulement l'une d'entre elles, son relief, son climat, sa végétation, sa population, ses villes, son agriculture, son industrie, etc., chacune considérée comme un ensemble contenant d'autres régions plus petites. Cette démarche imprègne aujourd'hui tout le discours sur la société, toute la réflexion économique, sociale et politique, qu'elle relève d'une idéologie « de droite » ou « de gauche ». C'est un des obstacles majeurs qui empêche de poser les problèmes de la spatialité différentielle, puisqu'on admet, sans discussion, qu'il n'y a qu'une seule façon de découper l'espace.

Il faudra beaucoup de temps à ceux des géographes qui depuis quelques décennies se préoccupent des problèmes économiques, sociaux et politiques, en particulier sous l'influence du marxisme, pour se rendre compte que cette démarche vidalienne, tant admirée, reproduite par des tas de gens qui n'ont jamais entendu parler de Vidal de La Blache, est en fait un subterfuge particulièrement efficace, car il empêche d'appréhender efficacement les caractéristiques spatiales des différents phénomènes économiques, sociaux et politiques. En effet, chacun d'eux a une configuration géographique particulière qui ne correspond pas à celle de la « région ».

Compléter, actualiser le discours de Vidal de La Blache, en y ajoutant des paragraphes sur l'industrie, les villes, les problèmes agricoles, ne change rien aux axiomes cachés de son procédé (peut-être involontaire), à la façon dont il a découpé la France en *régions*. Si Vidal avait dit : « Voilà, il serait commode, utile, compte tenu de telle et telle raison, de distinguer, au sein du territoire français, tels ou tels subdivisions, sous-ensembles, régions... à qui je donne tel ou tel nom... », il aurait sans doute été possible de discuter ce découpage et ses critères ; de proposer d'autres façons de diviser le territoire, c'est-à-dire d'autres façons de penser l'espace. Mais non, Vidal s'est bien gardé d'amorcer cette réflexion méthodologique et il a d'entrée de jeu affirmé en substance : voilà telle et telle région qui s'appellent Bretagne, Lorraine, Champagne, etc. ; elles *existent* comme des « individualités », des « personnalités », tout comme la France existe. Le rôle du géographe serait de détailler leur physionomie, et de montrer que leurs traits résultent d'une harmonieuse interaction entre les conditions naturelles et des héritages historiques fort anciens.

Personne ne s'est avisé de dire que les régions que Vidal de La Blache se plaisait à personnaliser n'étaient pas des organismes ou des mini-nations, mais une façon de voir les choses, le fruit du talent de celui qui peignait ce « tableau géographique de la France » (qui est le tome I de l'*Histoire de France* d'Ernest Lavisse).

Qui aurait eu l'idée (sacrilège) de représenter la France d'une autre façon, de donner une configuration différente à chacun des membres qui forment le corps de la Patrie ? L'existence de ces régions inventées par Vidal de La Blache était d'autant moins mise en cause que leurs noms, en fait les appellations qu'il leur a données, sont des entités politiques connues de longue date : Bretagne, Lorraine, Champagne (bien que leurs frontières aient été mobiles) ou correspondent à des réalités visibles dans les paysages (les Alpes...)

Reprocher à Vidal de La Blache de n'avoir pas exposé sa méthode peut paraître l'effet d'un purisme quelque peu anachronique, et l'enjeu de cette polémique peut sembler bien mince. A bien y regarder, il est beaucoup plus important qu'il n'y paraît.

En effet, sans l'ombre d'un doute, et souvent sans s'en expliquer, Vidal trace les limites des différentes régions dont il impose l'existence, soit une partie d'un des tracés des limites d'anciennes provinces, soit telle limite climatique, soit la ligne que le géologue trace sur sa carte pour séparer les affleurements de terrains forts différents. Un tel découpage convient peut-être au classement des éléments du « paysage » que Vidal a choisi parce qu'ils peuvent être considérés comme les héritages de phénomènes historiques (les plus) anciens, ou pour leur évidente dépendance à l'égard soit des conditions géologiques, soit des conditions climatiques. En fait, la description que Vidal fait de la France, en laissant croire qu'il appréhende « tout » ce qui est « important », est le résultat d'une *stricte* mais *discrète* sélection des faits ; elle laisse dans l'ombre l'essentiel des phénomènes économiques, sociaux et politiques issus d'un passé récent. D'autre part et c'est le plus grave, cette description impose une seule façon de découper l'espace et celle-ci ne convient pas du tout à l'examen des caractéristiques spatiales des nombreux phénomènes urbains, industriels, politiques, par exemple, ceux justement que Vidal n'a pas voulu prendre en considération. Pour les appréhender efficacement, il aurait fallu un autre découpage qui tienne compte des lignes de force économiques et des grands pôles urbains qui structurent l'espace d'un pays comme la France depuis la « révolution industrielle ». Mais le prestige de la division vidalienne a fait que « ses » régions, qu'il a délimitées, ont été considérées comme les seules configurations spatiales possibles, et comme l'expression par excellence d'une prétendue « synthèse » de tous les facteurs géographiques. Mais cette synthèse en ignorait beaucoup et des plus importants. Les disciples du Maître ont écrit une série de monographies, chacune consacrée à une des régions ou sous-régions qu'il avait distinguées : on a étudié par exemple le relief de la Champagne, le climat de la Champagne, l'agriculture champenoise, les industries champenoises, les villes champenoises, etc., sans se demander s'il n'aurait pas été plus éclairant d'envisager par exemple les établissements industriels qui se trouvent être dans cette « région » et dans d'autres, en fonction d'un autre ensemble spatial, compte tenu de leurs relations financières. Ainsi ce sont des lignes qui n'ont au premier chef qu'une signification géologique ou qui correspondent à des démarcations politiques depuis longtemps révolues qui déterminent le découpage de l'espace et l'individualisation des différentes « régions » que l'on envisage ensuite de façon essentiellement monographique.

Pour l'énorme majorité des géographes, cette façon traditionnelle de faire ne présente pas d'inconvénient majeur. A la limite, les contours de la région leur importent peu. Ce qui compte pour Vidal, c'est d'en analyser de la façon la plus approfondie le « contenu », les interactions qui se sont réalisées au cours de l'histoire entre faits physiques et faits humains dans un certain espace « *donné* » une fois pour toutes.

Fruit de la pensée vidalienne, la « région géographique » considérée comme la représentation spatiale, sinon unique du moins fondamentale, entité résultant soi-disant de la synthèse harmonieuse et des héritages historiques, est devenue un puissant *concept-obstacle* qui a empêché la prise en considération d'autres représentations spatiales, et l'examen de leurs relations.

Cette façon de découper *a priori* l'espace en un certain nombre de « régions » dont on ne doit que constater l'existence, cette façon d'occulter toutes les autres configurations spatiales, parfois très usuelles, ont été diffusées, avec un très grand succès dans l'opinion, à la fois dans les manuels scolaires et aussi par la littérature et les médias. Ce succès, il n'est que de voir l'importance des arguments géographiques dont usent les mouvements « régionalistes », est peut-être une sorte de réaction inconsciente à l'encontre de l'enchevêtrement des représentations spatiales provoquées par le développement de la spatialité différentielle : la région « vidalienne », imaginée comme le fruit d'une subtile et lente combinaison des forces de la Nature et du Passé, présentée comme l'expression d'une *permanence*, d'une authenticité, est sans doute pour la plupart des gens un moyen de « s'y retrouver » parmi l'embrouillement d'autres organisations spatiales de plus ou moins grande envergure.

Toujours est-il que le procédé vidalien, qui *nie* au niveau du discours les problèmes que pose la spatialité différentielle, a pour effet de faire déraper nombre d'analyses, car elles ne sont pas menées en prenant en considération la représentation spatiale qui serait adéquate.

La célébration par les géographes de la région-personnalité, organisme collectif ou mini-nation, de la région-personnage historique fournit la caution, la base même de tous les *géographismes* qui prolifèrent dans le discours politique.

Par « géographismes », j'entends les métaphores qui transforment en forces politiques, en acteurs ou héros de l'histoire des portions de l'espace terrestre ou plus exactement les noms donnés (par les géographes) à des territoires plus ou moins étendus : exemples de géographismes, « la Lorraine lutte, la Corse se soulève, la Bretagne revendique, le Nord produit ceci ou cela, Paris exerce telle ou telle influence, Lyon fabrique etc. ». Evidemment ces géographismes désignent les hommes qui vivent dans ces villes et ces régions. Mais ces tournures de style ne sont pas aussi innocentes qu'il y paraît au premier abord, car elles permettent d'escamoter les différences et les contradictions entre les divers groupes sociaux qui se trouvent en ces lieux ou sur ces territoires. C'est pourquoi les géographismes sont tellement utilisés dans les discours patriotiques qu'il s'agisse de l'Etat-nation ou de la région que certains considèrent comme de mini-nations ou comme des nations en puissance.

Alors qu'il serait politiquement plus sain et plus efficace de considérer la région comme une forme spatiale d'organisation politique (étymologiquement, région vient de *regere* c'est-à-dire dominer, régir), les géographes ont accrédité l'idée que la région est une donnée quasi éternelle, produit de la géologie et de l'histoire. Les géographes ont en quelque sorte naturalisé l'idée de région : ne parlent-ils pas de régions calcaires, de régions granitiques, de régions froides, de régions forestières. Ils utilisent la notion de région qui est fondamentalement politique pour désigner toutes sortes d'*ensembles spatiaux* qu'ils soient topographiques, géologiques, climatiques, botaniques, démographiques, économiques ou culturels.

Les intersections de multiples ensembles spatiaux

La critique rigoureuse qui vient d'être faite de la notion « vidalienne » de *région* n'a pas seulement pour but de mettre en garde contre ces multiples mystifications politiques que sont les géographismes, mais aussi de dénoncer une façon de penser l'espace qui va à l'encontre du véritable raisonnement géographique et exclut son importance stratégique. Le discours vidalien à propos de la région s'est d'ailleurs développé à partir du moment où des géographes, en devenant universitaires, ont écarté de leurs réflexions toute référence à l'action et aux phénomènes politiques.

En effet si, comme le proclament les professeurs de géographie et à leur suite les médias, l'espace terrestre est constitué par de grandes cases, les régions, chacune d'elles ayant son propre relief et son propre climat, sa géologie et son économie particulières, si chacune de ces cases peut et doit être décrite monographiquement pour elle-même, sans référence fondamentale avec tout ce qui l'entoure, alors cette description géographique donnée une fois pour toutes dans ces cadres intangibles ne peut servir à grand chose, tant elle est contraire aux diverses configurations véritables des réalités, en fonction desquelles il faudrait agir.

Il suffit de feuilleter un atlas ou un manuel consacré à un même continent, à un même Etat ou à une portion quelconque de l'espace terrestre pour se rendre compte que les configurations spatiales des phénomènes géologiques, climatiques, démographiques, économiques, culturels ne coïncident pas, dans la plupart des cas, les unes avec les autres ; elles forment au contraire une série d'*intersections* complexes.

Contrairement à ce que proclament un certain nombre de clichés pédagogiques et journalistiques, l'extension du tiers monde ne coïncide pas avec celle des climats tropicaux, le monde musulman ne correspond pas à la zone aride et semi-aride ; la « région lyonnaise » par exemple, une des régions les plus évidentes pour les géographes, s'étend sur des parties d'autres « régions » qu'ils considèrent comme tout aussi évidentes, le Massif central, les Alpes et le sillon rhodanien. La Suisse offre un des exemples d'intersections les plus complexes, puisque cet Etat est non seulement « à cheval » sur la chaîne des Alpes, mais aussi puisque son découpage en différents « cantons » ne correspond pas aux configurations des ensembles linguistiques (allemand, français, italien) et que ceux-ci ne correspondent pas aux configurations des ensembles religieux (protestants, catholiques) qui ont pourtant dans ce pays une grande importance.

Une des raisons d'être fondamentale de la géographie est de rendre compte de la complexité des configurations de l'espace terrestre. Les phénomènes que l'on peut isoler par la pensée, selon les différentes catégories scientifiques (géologie, climatologie, démographie, économie, etc.) ne s'ordonnent pas spatialement selon de grandes cases, les régions dont les professeurs de géographie proclament la réalité, mais au contraire s'enchevêtrent, et souvent de façon fort compliquée. C'est en tenant compte de ces multiples intersections entre les configurations précises des différents phénomènes que l'on peut agir plus efficacement, car cela permet d'éviter, par exemple, ceux qui sont des obstacles à l'action que l'on veut entreprendre. Au sein d'une même « région » des lieux voisins et apparemment identiques peuvent, en fait, offrir des conditions fort différentes et c'est l'examen des configurations spatiales précises de différents phénomènes qui permet de choisir l'implantation (ou l'itinéraire) le plus avantageux.

La méthode qui permet de penser efficacement, stratégiquement, la complexité de l'espace terrestre est fondée, pour une grande part, sur l'observation des *intersections* des multiples *ensembles spatiaux* que l'on peut former et isoler par le raisonnement et l'observation précise de leurs configurations cartographiques.

Qu'est-ce qu'un ensemble spatial ?

L'adjonction, au mot ensemble, de l'adjectif *spatial* a pour fonction de souligner que, dans cette démarche d'analyse qui est fondamentale dans le vrai raisonnement géographique, la plus grande attention doit être accordée, sur la carte, au tracé des limites des divers ensembles pris en considération, à la configuration particulière de chacun d'eux. Il ne s'agit pas d'intersections d'ensembles théoriques (l'entrecroisement des célèbres « patates » du diagramme de Venn qui sert de rudiments à la théorie des ensembles), mais d'ensembles définis chacun non seulement par des éléments et par leurs rapports, mais aussi par le tracé précis de ses contours cartographiques particuliers.

Chacun de ces ensembles ne fournit qu'une connaissance extrêmement partielle de la réalité. En effet, ces ensembles spatiaux sont des représentations abstraites, des objets de connaissance et des outils de connaissance produits par les diverses disciplines scientifiques. Celles-ci, dans leur effort d'investigation de la réalité, se conforment à une sorte de division, plus ou moins académique, du travail, chacune d'elles privilégiant une « instance », c'est-à-dire une façon de voir le monde (la géologie, la climatologie, la biologie, et pour ce qui est des activités humaines, l'économie, la sociologie, la démographie, etc.), au point de donner de la réalité une représentation qui néglige toutes les autres. Mais la diversité de la réalité, à la surface du globe, n'est pas seulement celle que décrit le géologue ou celle qu'analyse l'économiste ; c'est la combinaison de toutes ces représentations partielles qui permet d'en rendre compte de la façon la moins imparfaite.

Chaque discipline, chaque façon d'appréhender la réalité, envisage les caractéristiques spatiales de la catégorie de phénomènes qu'elle prend préférentiellement en compte et elle en trace les contours sur la carte : ensembles topographiques, climatiques, végétaux, ensembles urbains, ensembles ethniques, religieux, ensembles politiques, circonscriptions administratives, etc. Or il importe de souligner — ce qui est une évidence souvent oubliée — qu'il n'y a pas, le plus souvent, coïncidence entre les contours des différentes sortes d'ensembles spatiaux que les diverses disciplines délimitent pour une même portion de la surface terrestre, ce que démontre la superposition des diverses cartes thématiques (relief, géologie, climat, peuplement, etc.). Pour examiner ces multiples intersections avec plus de précision, on peut superposer des calques portant chacun une carte spécialisée.

Certes en observant attentivement cet entrecroisement des

contours des divers ensembles spatiaux, on peut constater des coïncidences, des inclusions, mais celles-ci sont beaucoup moins la règle que l'exception et à ce titre, elles sont dignes d'attention : elles attestent d'une relation de causalité entre deux phénomènes (et parfois plus), puisque pour une certaine portion de l'espace terrestre leur configuration spatiale apparaît comme voisine ou identique. Mais de telles coïncidences sont rares et il y a le plus souvent intersection des configurations spatiales des diverses catégories de phénomènes qu'analysent les différentes disciplines scientifiques : géologie, climatologie, démographie, économie, etc., et c'est pourquoi le raisonnement géographique est socialement nécessaire, qu'il soit mené soit par des géographes universitaires, soit par des hommes d'action, des planificateurs ou des stratèges. La représentation la plus opératoire et la plus scientifique de l'espace n'est pas celle d'un découpage simple en « régions », en cases juxtaposées les unes aux autres, mais celle d'une superposition de plusieurs puzzles très différemment découpés.

Pourtant, cette représentation de l'espace déjà fort complexe n'est pas suffisante pour être opératoire. Il ne suffit pas en effet de raisonner, comme nous l'avons fait jusqu'à présent, sur les intersections entre les différentes sortes d'ensembles spatiaux au sein d'un même territoire ; il faut aussi tenir compte de leurs dimensions qui peuvent relever d'ordres de grandeur très différents. Nous reviendrons sur ce problème.

Les professeurs de géographie ont accordé un tel intérêt aux coïncidences d'ensembles spatiaux établis par des disciplines différentes qu'ils ont vu dans cette correspondance, sinon la règle, du moins le seul type de configuration spatiale qui soit digne d'intérêt. Au lieu de se représenter la diversité et la complexité de l'espace terrestre comme le résultat des intersections entre les multiples ensembles spatiaux qu'il convient de distinguer selon les diverses préoccupations scientifiques, les professeurs de géographie ont forgé et inculqué une représentation de l'espace terrestre basée, souvent contre toute évidence cartographique, sur la coïncidence des contours de diverses catégories d'ensembles.

Cette représentation a eu cependant un succès considérable grâce à l'enseignement, et aujourd'hui elle est considérée comme une « réalité » géographique évidente : c'est la « région », chacune de celles dont on célèbre l'existence étant censée avoir *son* propre relief, *son* climat particulier, *sa* population et *son*

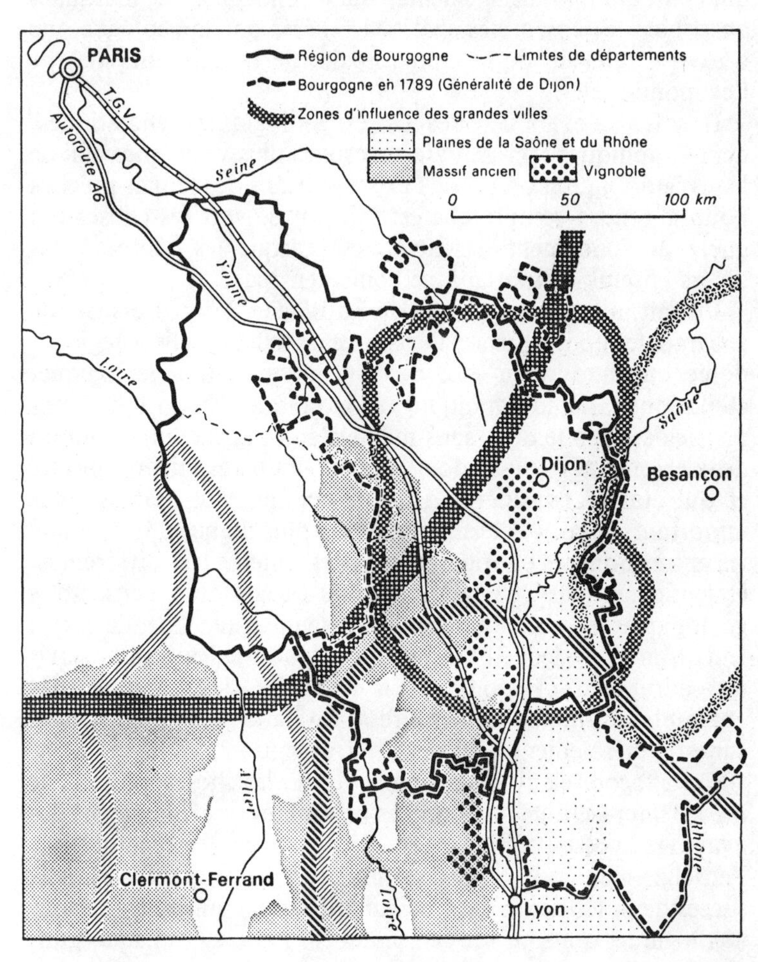

Un exemple de région : la Bourgogne et l'intersection de quelques ensembles spatiaux qui s'étendent au-delà de ses limites historiques ou administratives actuelles.

économie dotées l'une et l'autre de caractéristiques spécifiques, fort différentes de celles des régions voisines. Un tel discours, dont la fonction idéologique est considérable, postule que la ligne qui est censée délimiter telle « région » par rapport à celles qui l'entourent serait une démarcation fondamentale, marquant aussi bien les ensembles spatiaux repérés par le géologue que ceux qui relèvent de la climatologie, de la démographie, de l'économie, etc.

Il suffit d'examiner des cartes géologiques, climatiques, démographiques représentant un espace plus vaste que celui de la « région » dont on prône l'existence dans des limites précises pour se rendre compte que cette façon de voir les choses n'a guère de fondements scientifiques puisque les contours des divers ensembles spatiaux ne coïncident pas.

En fait, à la suite de Vidal de La Blache, les professeurs de géographie, pour affirmer l'existence de telle ou telle « région » dotée chacune selon eux de son individualité géologique, climatique, démographique, économique, historique, ont privilégié, sans le dire, sans même s'en rendre compte, un ou deux ensembles spatiaux dont les contours paraissaient coïncider et qui étaient considérés *a priori* comme plus stables, plus importants, plus « déterminants » ou plus dignes d'intérêt que les autres dont les configurations particulières très différentes, étaient escamotées. Ce furent souvent les contours d'ensembles géologiques ou ceux d'anciennes provinces (en postulant que leurs frontières aient été stables) qui furent privilégiés pour servir de cadre aux « régions ». En revanche, les contours des ensembles économiques, les aires d'influence des grandes villes furent généralement négligés, sauf exception.

Cette façon relativement simple de voir les choses, puisqu'elle nie les intersections de multiples ensembles, a évidemment des avantages pédagogiques, et il n'est pas étonnant que l'enseignement primaire et secondaire l'ait propagée. Mais le succès de l'idée de « région » tient aussi à de puissantes raisons idéologiques qui sont liées au sentiment national : chaque Etat, chaque « pays » est présenté comme le rassemblement d'un certain nombre de « régions ». Chaque « région », dépeinte comme une entité vivante très ancienne, sinon éternelle, apparaît comme un des organes du corps de la patrie. L'idée de « région », l'idée qu'il n'y a qu'une seule façon d'envisager le découpage d'un espace, et au fond l'idée que l'espace est découpé par la Nature, par Dieu, selon des lignes simples et stables, traduisent la puissance idéologique de la géographie des professeurs. Mais ces représentations rassurantes qui sont le fondement de tant de discours et d'envolées lyriques ne sont pas opératoires. Dès lors qu'il ne s'agit plus de discours ou de manuels scolaires, mais d'action, il faut bien se rendre compte, sous peine d'échec, que les configurations de l'espace sont beaucoup plus complexes que le découpage simple en quelques grandes « régions » de la géographie des professeurs.

L'escamotage d'un problème capital : la différenciation des niveaux d'analyse spatiale

A la suite de Vidal de La Blache, sous l'effet des tendances qui ont concouru à la diffusion de son mode de pensée non seulement en France mais aussi à l'étranger, les géographes se sont lancés dans la description de plus en plus fine de chaque « région » qu'ils étaient amenés (comment ? pourquoi ?) à distinguer et à prendre en considération.

Comme chaque « région » est considérée comme une *donnée d'évidence* (et non pas comme le résultat d'un choix), il n'y a semble-t-il qu'à observer cette portion d'espace dotée de certaines particularités qui la rendent différente des territoires qui l'entourent. Il n'y aurait qu'à lire le grand livre ouvert de la Nature. Mais à quelle page l'ouvre-t-on ? Le géographe (et à sa suite tous ceux qu'il influence par son discours) ne se soucie guère des illusions du savoir immédiat et de l'expérience première. Il ne se demande pas si ce n'est pas sa façon à lui de voir les choses, l'influence de ses maîtres, à une certaine étape de son évolution intellectuelle, certains présupposés dont il n'est guère conscient, qui l'amènent à décider de l'individualité de cette « région », c'est-à-dire à privilégier (pourquoi ?) certaines informations.

Dans ces conditions, s'il ne met pas en cause le bien-fondé des limites de la « région » qu'il étudie, il se soucie encore moins de la *taille* de l'espace qu'il prend en considération, de façon monographique. Certains géographes portent de préférence leur attention sur de petites « régions », décrivent l'étendue d'un canton qui regroupe quelques villages, alors que d'autres étudient des territoires considérablement plus vastes, les

« régions tropicales », les « régions polaires », soit une grande partie de la surface du globe.

Pour la plupart des géographes, la taille du territoire pris en considération et les critères de ce choix ne paraissent pas devoir influencer fondamentalement leurs observations et leurs raisonnements. Pourtant il suffit de feuilleter un manuel de géographie ou la collection d'une revue de géographie pour se rendre compte que les illustrations cartographiques sont de types extrêmement différents, car ces cartes ont des échelles très inégales : certaines sont des planisphères qui représentent le globe tout entier, d'autres représentent un continent ; d'autres un Etat (vaste ou petit), d'autres une « région » dont l'étendue peut être variable, d'autres une agglomération urbaine, un quartier, un village et son terroir, une exploitation rurale et ses bâtiments, une clairière dans la forêt, une mare, une maison, etc. Ces étendues de taille très inégale sont représentées par des cartes dont les échelles sont très différentes : depuis les cartes à très petite échelle qui représentent l'ensemble du monde jusqu'aux cartes et plans à très grande échelle qui représentent de façon détaillée des espaces relativement peu étendus [1].

Entre toutes ces cartes d'échelle très inégale, il n'y a pas seulement des *différences quantitatives*, selon la taille de l'espace représenté, mais aussi des *différences qualitatives*, car un phénomène ne peut être représenté qu'à une certaine échelle ; à d'autres échelles, il n'est pas représentable ou sa signification est modifiée. C'est un problème essentiel mais difficile.

Or le choix de l'échelle d'une carte apparaît habituellement comme une affaire de bon sens ou de commodité à laquelle on n'attache guère d'importance et chaque géographe universitaire choisit l'échelle qui lui convient, sans être très conscient des raisons de ce choix. En revanche, les exigences de la pratique font que les officiers savent bien que ce ne sont pas les mêmes

---

1. L'échelle d'une carte indique le rapport de réduction qui existe entre une distance réelle et sa représentation sur le papier. Plus le dénominateur de la fraction est grand, plus l'échelle est dite petite. Ainsi une carte au 1/1000 000ᵉ est à plus petite échelle qu'une carte au 1/10 000ᵉ, mais la première représente des étendues beaucoup plus grandes que la seconde.

Il est à noter que l'expression courante « faire quelque chose à grande échelle », « une opération à grande échelle », qui implique de puissants moyens et une action s'exerçant sur de grandes étendues ou sur un grand nombre de personnes, a une signification inverse de celle de l'expression cartographique. Une carte à grande échelle représente une étendue relativement petite. Cette confusion, dont les origines ne sont pas claires, est très fréquente et nombre de géographes la font aussi.

cartes qui servent à décider de la stratégie d'ensemble et des diverses opérations tactiques. La stratégie s'élabore à plus petite échelle que la tactique.

Il importe de se rendre compte que la grande variété des représentations cartographiques, pour ce qui est des échelles utilisées, est en fait significative des différences qui existent entre plusieurs types de raisonnements géographiques, différences qui tiennent pour une grande part à la taille très inégale des espaces qu'ils prennent en considération. Certains raisonnements ne peuvent se former qu'en examinant les différents aspects d'un phénomène sur l'ensemble de la planète (c'est par exemple le cas de certains phénomènes climatiques ou économiques). En revanche, d'autres phénomènes tels les processus de l'érosion ne peuvent être convenablement observés qu'à très grande échelle, sur un versant, dans le lit d'un torrent... Ces constatations sont parfaitement banales pour les géographes qui ne semblent que réaffirmer encore une fois l'éclectisme de leurs points de vue : tantôt disent-ils, il faut regarder la terre au microscope et tantôt du haut d'un satellite.

La « réalité » apparaît différente selon l'échelle des cartes, selon les niveaux d'analyse

A mon sens, c'est là que se situe, dissimulé derrière des pratiques tout à fait empiriques qui se présentent souvent comme des commodités pédagogiques, un des problèmes épistémologiques primordiaux de la géographie. En effet, les combinaisons géographiques que l'on peut observer à grande échelle ne sont pas celles que l'on peut observer à petite échelle. La technique cartographique dite de la « généralisation », qui permet de dresser une carte à plus petite échelle d'une « région » à partir des cartes à plus grande échelle qui la représentent de façon plus précise (mais chacune pour des espaces moins vastes), laisse croire que l'opération consiste seulement à abandonner un grand nombre de détails pour représenter de plus vastes étendues. Mais comme certains phénomènes ne peuvent être appréhendés que si l'on considère de vastes étendues, alors que d'autres, de tout autre nature, ne peuvent être saisis que par des observations très précises sur des surfaces très réduites, il en résulte que l'opération intellectuelle qu'est le changement d'échelle transforme, et parfois de façon radicale, la problématique que l'on peut établir et les raisonnements que l'on peut former. Le changement d'échelle correspond à un changement du niveau d'analyse et devrait correspondre à un changement au niveau de la conceptualisation.

La combinaison de facteurs géographiques qui apparaît lorsqu'on considère un certain espace n'est pas la même que celle qui peut être observée pour un espace plus petit qui est « contenu » dans le précédent. Ainsi, par exemple, ce que l'on peut observer dans le fond d'une vallée alpestre et les problèmes que l'on peut poser à propos de cet espace et des gens qui y vivent diffèrent de ce que l'on voit lorsqu'on est sur un des sommets, et cette vision des choses se transforme lorsqu'on regarde les Alpes d'avion à 10 000 mètres d'altitude.

Un même géographe peut procéder à l'étude des problèmes d'un village africain, à l'analyse de la situation d'une région où ce village se trouve, à l'examen des problèmes au niveau de l'Etat où elle s'inscrit, et à l'appréhension du « sous-développement » au niveau de l'ensemble du « tiers monde » ; ce géographe aura en fait des discours très différents (ne serait-ce que par le vocabulaire) qui ne se renvoient pas toujours les uns aux autres tout en semblant s'exclure sur bien des points. Prenons un dernier exemple, dont la signification sera peut-être mieux perçue, car les allusions seront plus facilement rapportées à des expériences familières dans un ensemble dont nous saisissons la diversité des aspects par la pratique sociale : on fait de plus en plus souvent référence aux « réalités urbaines » envisagées comme un ensemble global (où les « facteurs physiques » ne doivent pas être oubliés, non seulement pour ce qui est des sites, mais surtout de plus en plus pour les problèmes de « pollution »). Pourtant celles-ci apparaissent de façon fort différentes selon qu'on les observe à grande échelle au niveau du groupe d'immeubles (comment a-t-il été choisi ? où se trouve-t-il ?), du quartier (lequel ?), selon que l'on considère seulement le centre de la cité, l'ensemble de la ville ou l'agglomération avec ses banlieues plus ou moins étendues, selon que l'on envisage à petite échelle cet ensemble urbain dans le cadre de sa « région » (laquelle peut être considérée de façon plus ou moins large) ou dans les rapports qu'il entretient avec d'autres villes plus ou moins éloignées.

Pratiquée depuis une quinzaine d'années par les géographes, cette étude des relations interurbaines de ces « réseaux urbains », qu'il faut replacer dans un cadre national et international, a modifié et enrichi considérablement la problématique que l'on appliquait aux quartiers centraux et réciproquement. Chacun de ces différents niveaux d'analyse que l'on peut distinguer, depuis la très grande jusqu'à la très petite échelle, ne correspond pas seulement à la prise en considération d'ensembles spatiaux plus ou moins vastes, mais aussi à la définition des caractéristiques structurelles, qui permettent d'en délimiter les contours.

Une étape primordiale dans la démarche d'investigation géographique : le choix des différents espaces de conceptualisation

Au plan de la connaissance, il n'y a pas de niveau d'analyse privilégié, aucun d'eux n'est suffisant, car le fait de prendre en considération tel espace comme champ d'observation va permettre d'appréhender certains phénomènes et certaines structures, mais va entraîner la déformation ou l'occultation d'autres phénomènes et d'autres structures dont on ne peut *a priori* préjuger du rôle et qu'on ne peut donc négliger. Il est donc indispensable de se placer aux autres niveaux d'analyse, en prenant d'autres espaces en considération. Il est ensuite nécessaire de réaliser l'articulation de ces représentations très différentes puisqu'elles sont fonction de ce que l'on pourrait appeler des espaces de conceptualisation différents.

Au plan, non plus de la connaissance, mais de l'action (urbanistique ou militaire) existent des niveaux d'analyse qu'il faut privilégier, car ils correspondent à des espaces opérationnels, en raison des stratégies et des tactiques mises en œuvre.

Cette démarche de l'investigation géographique, il faut se garder de la considérer comme déjà construite et assurée. Comment choisir les différents espaces de conceptualisation ? Comment s'assurer de leur adéquation à la connaissance de tels phénomènes et de telle structure ? Quel est l'outillage conceptuel qui convient à chacun d'eux ? Comment opérer l'articulation de ces différents niveaux d'analyse ? Par quel niveau commencer l'investigation ?

Ce qui paraît assuré, c'est que, pour tout ce qui a une signification spatiale, la nature des observations que l'on peut effectuer, la problématique que l'on peut établir, les raisonnements que l'on peut construire sont fonction de la taille des espaces pris en considération et des critères de leur sélection.

Le problème des échelles est donc primordial pour le raisonnement géographique. Contrairement à certains géographes qui déclarent qu'« on peut étudier un même phénomène à des échelles différentes », il faut être conscient que ce sont des phénomènes *différents* parce qu'ils sont appréhendés à différents niveaux d'analyse spatiale.

La même question se pose, d'une façon comparable, pour l'histoire. Ainsi, par exemple, l'explication de la journée du 14 juillet 1789, considéré comme événement significatif majeur, sera très différente selon qu'on cherche à savoir ce qui s'est passé juste la veille, dans la semaine, et le mois précédent, ou si l'on prend des tranches de temps plus longues comme cadre des observations et du raisonnement : un an, dix ans auparavant ou les trois siècles qui ont précédé l'effondrement de l'Ancien Régime : l'histoire des « temps courts », l'histoire dite événementielle apparaît évidemment radicalement différente de l'histoire des « temps longs » qui permet de mettre en lumière le développement des contradictions du « féodalisme », tant au niveau des infrastructures que des superstructures.

De même que les différents temps de l'historien ne doivent pas être confondus, mais doivent être envisagés dans leurs *entrelacements* [2], les différents *espaces de conceptualisation* auxquels doit se référer le géographe doivent être l'objet d'un effort de différenciation et d'articulation systématiques. Il importe de faire une distinction radicale entre l'*espace* en tant qu'*objet réel* que l'on ne peut connaître qu'à travers un certain nombre de présupposés plus ou moins déformants, qu'au moyen d'un outillage conceptuel plus ou moins adéquat, et l'*espace*, en tant qu'*objet de connaissance*, c'est-à-dire les différentes

2. Cf. les « différents temps » que Louis Althusser propose de différencier (dans *Lire le Capital*, Maspero, 1965, t. 2, p. 47) : « Il y a pour chaque mode de production, un temps et une histoire propres, scandés de façon spécifique, du développement des forces productives ; un temps et une histoire propres des rapports de production [...] ; une histoire propre de la superstructure politique... ; un temps et une histoire propres [...] des formations scientifiques [...]. La spécificité de chacun de ces temps, de chacune de ces histoires [est fondée] sur un certain type d'articulation dans le tout, donc sur un certain *type de dépendance* à l'égard du tout. [...] La spécificité de ces temps et de ces histoires est donc *différentielle*, puisqu'elle est fondée sur les rapports différentiels existant dans le tout entre les différents niveaux. »

représentations de l'espace réel (celles des peintres, des mathématiciens, des astronomes, des géographes...) qui ont évolué historiquement au fur et à mesure de la découverte progressive qui ne sera jamais achevée (car l'histoire n'est pas finie). Ces représentations de l'espace sont des outils de connaissance que nous devons améliorer et construire de façon à les rendre plus efficaces, c'est-à-dire pour nous permettre de mieux comprendre le monde et ses transformations.

Après cette longue réflexion sur ce délicat problème des échelles, des niveaux d'analyse et des espaces de conceptualisation, on peut se rendre compte à quel point les observations et les raisonnements géographiques sont fonction de la taille de l'espace pris en considération et des critères de ce choix. On ne peut que mieux mesurer les conséquences de l'orientation durable que l'œuvre de Vidal de La Blache semble avoir donnée aux réflexions des géographes, non seulement en France mais aussi dans de nombreux autres pays.

Le mérite majeur que l'on reconnaît à Vidal de La Blache est d'avoir montré, par l'analyse monographique approfondie des « réalités régionales », la complexité des interactions qui s'étaient établies au cours de l'histoire entre les faits physiques et les faits humains. Le cadre que Vidal donne à ses observations et à ses réflexions est la « région », qu'il présente comme la « réalité géographique » *par excellence*.

Cette démarche qui postule la possibilité de reconnaissance immédiate des « individualités géographiques », cette illusion ou ce stratagème de la familiarité avec le réel qui laisse croire que la description réunit tous les éléments possibles, alors qu'elle résulte en fait de choix très étroits, vont permettre aux géographes d'éluder des problèmes épistémologiques fondamentaux.

Vidal de La Blache, en plaçant, grâce à son prestige et à son talent, la « monographie régionale » au sommet de la géographie universitaire, a en quelque sorte enfermé l'investigation géographique dans les limites *données* d'un *seul* espace de prédilection.

Dès lors, l'observation et le raisonnement se trouvent pour l'essentiel bloqués à un seul niveau d'analyse, celui qui permet d'appréhender « la région », espace de conceptualisation unique, choisi pour pouvoir appréhender les étendues délimitées par les anciennes frontières provinciales et surtout les paysages. Or la description des paysages correspond en fait à un certain niveau d'analyse, celui qui permet d'appréhender les formes du relief qui sont considérées comme l'architecture essentielle de ces paysages. Mais ce niveau d'analyse n'est pas celui qui permet d'appréhender convenablement les problèmes économiques, sociaux et politiques.

Le fait de privilégier certains niveaux de l'analyse qui correspondent à certains types d'espace de conceptualisation provoque, pour les raisons qui ont été évoquées précédemment, la déformation, ou l'occultation des facteurs qui ne peuvent être convenablement appréhendés qu'à d'autres niveaux d'analyse. Ces facteurs se trouvent subrepticement écartés du raisonnement par l'effet du véritable filtrage des informations qui consiste à délimiter *a priori* le type d'espace qui doit être préférentiellement pris en considération. Ainsi, sans qu'il y paraisse dans le discours, donc sans qu'il soit besoin de le justifier, se trouvent écartées les références à un grand nombre de facteurs « physiques », économiques, sociaux et politiques. Pour s'apercevoir de leur rôle dans les combinaisons géographiques, il faudrait se situer à d'autres niveaux d'analyse et prendre en considération des espaces moins vastes, ou plus étendus, en fonction d'autres critères de repérage. Mais la « personnalité de la région » perçue en tant que *donnée* est un concept dominant qui fait obstacle. Il permet de suivre un discours facilement cohérent, puisqu'il correspond à un seul niveau d'analyse. De plus, l'évocation des « individualités » régionales peut se parer des attraits littéraires de multiples images anthropomorphiques.

Tout ce qui a contribué à masquer le problème du choix des échelles d'observation et de représentation, et le problème de l'articulation des différents niveaux d'analyse a eu de graves conséquences pour l'évolution de la géographie universitaire et pour la réflexion théorique sur les problèmes spatiaux. Encore une fois, tout cela ne concerne pas que les géographes, mais l'ensemble des citoyens, car, dans la mesure où le discours des professeurs de géographie a largement imprégné l'opinion, les carences de ce discours ont été un grave handicap à une prise de conscience efficace des problèmes géographiques dans de larges milieux.

Les différents ordres de grandeur et les différents niveaux d'analyse spatiale

Qu'il s'agisse de cartes, d'observations, de raisonnements, il importe de constater que cette distinction entre grande et petite échelle est ambiguë et il en résulte un certain nombre de confusions et de difficultés : d'abord, une carte au 1/200 000e, par exemple, sera classée parmi les cartes à grande échelle par rapport à une carte au dix-millionième, mais la carte au 1/200 000e sera considérée comme carte à petite échelle en regard d'une carte au 1/20 000e. Par ailleurs, le choix d'échelles différentes ne détermine pas nécessairement la prise en considération d'espaces de conceptualisation différents, s'il ne s'accompagne pas de la volonté d'étendre (ou de restreindre) les étendues envisagées. Ainsi le territoire français métropolitain, qui a en gros 1 000 km du nord au sud, peut être représenté à très petite échelle, au dix-millionième, par exemple (la carte, si elle est limitée à la France, aura 10 cm de côté), ou à plus grande échelle, au millionième, par exemple (la carte de France aura alors 1 mètre de côté). Mais, si ces deux cartes ne montrent pour l'essentiel, que le territoire français, l'espace de conceptualisation restera le même, malgré la différence d'échelle. En revanche, si la carte au dix-millionième n'est pas limitée à la France, mais représente un espace beaucoup plus vaste — une grande partie de l'Europe —, l'espace de conceptualisation change, et l'on peut poser les problèmes des rapports de la France avec d'autres Etats. Le changement d'échelle est une condition nécessaire, mais non suffisante, de la pluralité des espaces de conceptualisation ; celle-ci résulte de la volonté d'appréhender des espaces de taille différente dans la réalité.

Il importe donc de fonder les différents niveaux d'analyse du raisonnement géographique, non pas sur les différences d'échelle, qui sont les rapports de réduction selon lesquels s'effectuent les diverses représentations cartographiques de la réalité, mais sur les différences de taille qui existent dans la réalité entre les ensembles spatiaux qu'il est efficace de prendre en considération. Cela permet de lever nombre d'ambiguïtés (par exemple, entre petite et grande échelle), mais aussi de souligner les différences qui existent entre des ensembles spatiaux relevant d'un même concept, l'Etat par exemple. On dit souvent qu'il faut poser les problèmes au niveau local, régional et dans le cadre de l'Etat. Mais de quel Etat s'agit-il ? Il ne faut pas seulement prendre en considération des différences de régime politique, mais aussi des différences de dimensions spatiales (et il y a aussi les différences de dimensions démographiques). Il y a des Etats, tels l'URSS ou le Canada, dont les dimensions se mesurent en milliers de kilomètres, d'autres, telle la France, dont les dimensions se mesurent en centaines de kilomètres ; ceux enfin, tels Israël ou le Koweït, qui se mesurent en dizaines de kilomètres. Et les régions, ces sous-ensembles qu'il convient de distinguer dans le cadre de ces Etats de tailles si dissemblables, relèvent aussi d'ordres de grandeur très différents, et les termes utilisés pour en décrire les divers aspects relèvent d'un degré d'abstraction d'autant plus poussé qu'elles s'étendent sur des dizaines, des centaines ou des milliers de kilomètres. Ce n'est pas la même chose de décrire un sous-ensemble régional de l'URSS et une région française.

Il ne suffit donc pas de classer les ensembles spatiaux en fonction des diverses disciplines scientifiques qui analysent chacune une portion de la réalité (ensembles géologiques, climatologiques, botaniques, démographiques, sociologiques, économiques, etc.). Il faut aussi classer ces différentes catégories d'ensembles spatiaux, non pas en fonction des échelles de représentation, mais en fonction de leurs différences de taille dans la réalité. On peut ordonner la description et le raisonnement géographique en différents niveaux d'analyse spatiale qui correspondent à *différents ordres de grandeur* des objets géographiques, c'est-à-dire les ensembles spatiaux qu'il importe de prendre en considération pour rendre compte de la diversité des combinaisons de phénomènes à la surface du globe. Parmi ces ensembles, les plus vastes font le tour de la terre (40 000 km) ; les moins grands, qui sont figurés sur une carte à très grande échelle, ont quelques mètres (maison, rocher, bosquet, puits, etc.). On peut convenir d'appeler :

— *Premier ordre de grandeur*, celui des ensembles spatiaux dont la plus grande dimension se mesure en *dizaines de milliers de km :* continents et océans, grandes zones climatiques, mais aussi un ensemble géopolitique comme le tiers monde, le groupe des pays du Pacte de Varsovie ou celui de l'OTAN...

A noter que ces très grands ensembles ne sont pas très nombreux et qu'ils sont envisagés à un degré très poussé d'abstraction.

— *Deuxième ordre de grandeur,* celui des ensembles dont la plus grande dimension se mesure en *milliers de km :* des Etats comme l'URSS, le Canada, la Chine, des ensembles comme la mer Méditerranée, une grande chaîne de montagnes comme les Andes...

— *Troisième ordre de grandeur,* celui des ensembles dont la plus grande dimension se mesure en *centaines de km :* des Etats comme la France, le Royaume-Uni, de grandes régions « naturelles » comme le bassin parisien, des chaînes de montagnes comme les Alpes, les sous-ensembles régionaux des très grands Etats...

— *Quatrième ordre de grandeur,* celui des ensembles dont les dimensions se mesurent en *dizaines de km* — ensembles extrêmement nombreux : petits massifs montagneux, grandes forêts, très grandes agglomérations, sous-ensembles régionaux des Etats qui relèvent du troisième ordre de grandeur...

— *Cinquième ordre de grandeur,* celui des ensembles, encore plus nombreux, dont les dimensions se mesurent en *kilomètres.*

— *Sixième ordre de grandeur,* celui des ensembles dont les dimensions se mesurent en *centaines de mètres.*

— *Septième ordre de grandeur,* celui des ensembles innombrables dont les dimensions se mesurent en *mètres.*

C'est d'abord en fonction de ces différents ordres de grandeur que se fait le choix des échelles, mais aussi en fonction de la commodité de consultation ou de publication du document cartographique et du degré de précision souhaité : s'il est exclu de représenter des ensembles du 5ᵉ ordre à des échelles plus petites que le 1/50 000ᵉ, on peut en revanche représenter des ensembles du 1ᵉʳ ordre à des échelles qui vont du dix-millionième au deux cent-millionième, selon qu'on veut disposer d'un grand ou d'un très petit planisphère, mais c'est toujours le même espace de conceptualisation : l'ensemble du monde. C'est donc en fonction des différents ordres de grandeur (et non plus en fonction des échelles, comme je l'avais fait dans le texte de 1976) qu'il convient de distinguer les différents niveaux d'analyse, chacun d'eux pouvant être représenté par le plan où peut être cartographiée (à même échelle) et analysée une intersection d'ensembles spatiaux qui peuvent relever des catégories scientifiques les plus diverses, mais qui sont de la même tranche dimensionnelle. Si les ensembles de dimension planétaire (1er ordre) sont assez peu nombreux et s'il est facile de recenser et de représenter la plupart sur le même planisphère, à condition que l'échelle de réduction ne soit pas trop petite, en revanche, le nombre des ensembles possibles devient de plus en plus grand au fur et à mesure que leur taille diminue (5e, 6e, 7e ordre de grandeur) et, parmi cette masse quasi innombrable, le choix s'effectue en fonction de la pratique, en fonction du genre de problème qu'on se pose, en fonction de l'action qu'on veut mener.

Et c'est en fonction de la pratique qu'il faut poser le difficile problème de l'articulation des différents niveaux d'analyse. En effet, s'il est relativement facile d'envisager pour chaque niveau les intersections d'ensembles de même ordre de grandeur qu'il est intéressant, utile, prudent de prendre en considération, compte tenu de ce qu'on veut faire, il est en revanche beaucoup plus difficile et risqué d'articuler les uns aux autres ces différents niveaux d'intersection, de passer des combinaisons d'ensembles relativement concrets du 5e et du 6e ordre à ceux du 2e ou 3e ordre beaucoup plus abstraits dans le cadre d'un vaste Etat. Il est tout aussi difficile de passer d'un plan d'opération envisagé au niveau national à sa mise en œuvre sur le terrain, c'est-à-dire au niveau local ; c'est l'une des difficultés des grands programmes de développement agricole : ce qui est planifié au niveau de l'Etat ou de la région doit être réalisé dans le cadre de la petite exploitation, du champ situé sur tel versant, de la rizière établie dans tel fond de vallée.

L'articulation des différents niveaux d'analyse, donc des intersections d'ensembles spatiaux de très diverses catégories scientifiques est, en vérité, un raisonnement de type stratégique ; sa justesse et ses erreurs sont sanctionnées par la réussite ou par l'échec en regard des buts qu'on se proposait d'atteindre ; il correspond à l'articulation de ce qu'on appelle, dans toutes les armées, la stratégie et la tactique (il y a d'ailleurs différents niveaux stratégiques et différents niveaux tactiques qui correspondent aux différents ordres de grandeur d'ensembles spatiaux). Mais cette démarche opérationnelle à laquelle doivent être rompus les officiers d'état-major, ne se cantonne pas au domaine des militaires. Elle est efficace, indispensable même, dans bien d'autres domaines — en vérité, pour tous les types de réflexions et d'entreprises, dès lors qu'elles doivent tenir compte de l'espace, ce qui est le cas de la plupart des actions humaines.

Le plus grand nombre de citoyens subissent passivement, et non sans malaise, les distorsions d'une spatialité de plus en plus « différentielle » (p. 31), où s'entremêlent de façon opaque des flux régionaux, nationaux, multinationaux sur les particularités de chaque situation locale. La distinction systématique de différents niveaux d'analyse spatiale est un outillage conceptuel relativement simple, qui peut aider chacun à y voir plus clair, à mieux comprendre ce qui se passe. Mais, s'il s'agit d'intervenir dans une situation locale, pour la modifier, et surtout si les objectifs sont complexes, l'articulation de ces différents niveaux d'analyse est une procédure difficile, risquée et il serait dangereux de laisser croire que n'importe qui peut s'improviser stratège et géographe. Il s'agit en effet de tenir compte d'un très grand nombre de facteurs géologiques, climatologiques, pédologiques, démographiques, sociaux, économiques, politiques, culturels qui sont autant d'atouts, d'obstacles et de handicaps et qui s'entremêlent de façon d'autant plus compliquée qu'ils ont chacun leur propre configuration spatiale. Pour faire comprendre comment il est efficace d'articuler, en fonction des buts fixés et des moyens dont on dispose, ces intersections d'ensembles spatiaux si différents et si dissemblables par la taille, il faudrait donner des exemples précis [1] montrant comment des stratégies ont été conçues ou improvisées et mises en place dans des situations concrètes et quelles ont été les conséquences de ces entreprises, leurs réussites ou leurs défaillances. Il est à noter que ces dernières peuvent souvent être imputées à des erreurs dans l'analyse des situations géographiques, et surtout à la méconnaissance d'un des ordres de grandeur. La démarche de *géographie active*, celle qui associe raisonnement stratégique et raisonnement géographique, n'est pas facile, mais elle apparaît indispensable.

Car la géographie ne sert pas *seulement* à faire la guerre.

---

3. J'en ai présenté un certain nombre dans mon livre *Unité et diversité du tiers monde. Des représentations planétaires aux stratégies sur le terrain*, La Découverte, 1984.

Ce schéma illustre cette façon de penser l'espace basée fondamentalement sur la combinaison de deux méthodes d'analyse spatiale : — d'une part, la distinction systématique de différents niveaux d'analyse selon les différents ordres de grandeur, selon les dimensions qu'ont les multiples ensembles spatiaux dans la réalité ; — d'autre part, à chacun de ces niveaux, l'examen systématique des intersections entre les contours des divers ensembles spatiaux du même ordre de grandeur.

Sur ce dessin, c'est, bien sûr, arbitrairement qu'on a donné aux ensembles spatiaux la forme de « patate », comme le font les mathématiciens lorsqu'ils exposent les rudiments de la théorie des ensembles et de leurs intersections. Mais, bien évidemment, les ensembles spatiaux ont, sur les cartes, des contours infiniment variés : il en est de linéaires (un grand axe de circulation), de digités (un réseau fluvial), en « archipel », etc.

En haut du schéma, le plan 1 correspond au niveau d'analyse des intersections d'ensembles du premier ordre de grandeur, ceux dont les dimensions se mesurent en dizaines de milliers de kilomètres. Ce plan est celui des planisphères représentant toute la surface du globe. Au centre de ce plan 1, le petit rectangle marqué 2 correspond à l'étendue du quadrilatère arbitrairement prise en considération au second niveau d'analyse, celui qui permet l'examen des intersections d'ensembles du 2e ordre de grandeur, ceux dont les dimensions se mesurent en milliers de kilomètres. Au centre de ce plan 2, le petit rectangle marqué 3 correspond à l'étendue du quadrilatère prise en considération au troisième niveau d'analyse, celui qui permet l'examen des intersections des ensembles du 3e ordre de grandeur, ceux dont les dimensions se mesurent en centaines de kilomètres. Et ainsi de suite...

Sur le plan 2 de ce dessin, on a représenté, à titre d'exemple, par un trait large et flou, une portion des contours d'un ensemble A du premier ordre de grandeur et qui ne peut être envisagé complètement qu'à ce premier niveau d'analyse. Sur le plan 3, on a représenté une portion des contours d'un ensemble F qui ne peut être envisagé complètement qu'au 2e ordre de grandeur. Et ainsi de suite.

Les caractéristiques géographiques d'un lieu précis ou l'interaction des phénomènes dont il faut tenir compte pour agir en ce lieu — sur le dessin, c'est le point x qui se trouve au centre de chacun de ces plans — ne peuvent être établies qu'en se référant aux intersections des différents ensembles des différents niveaux d'analyse. Stratégiquement, chaque ensemble correspond à un facteur favorable ou à un facteur défavorable pour l'action entreprise.

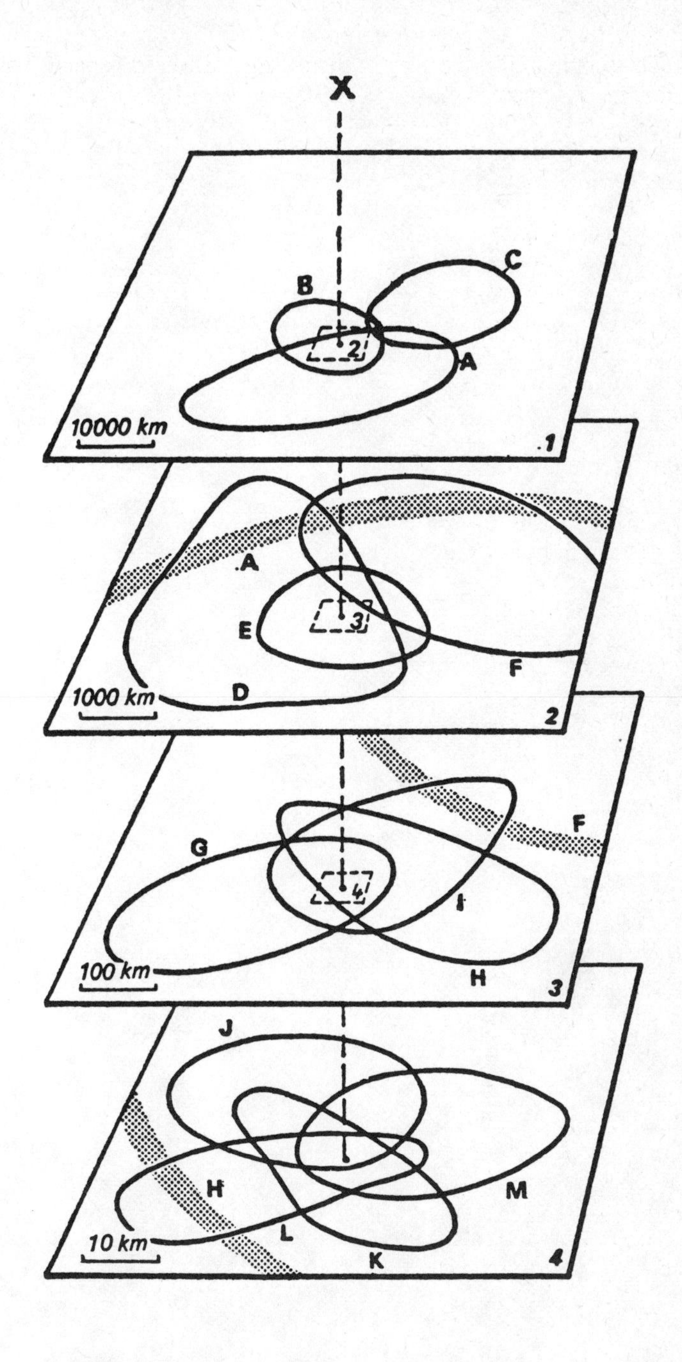
X
B
C
2
A
10000 km
1
A
3
E
F
D
1000 km
2
F
G
4
I
100 km
H
3
J
H
M
L
10 km
K
4

Les singulières carences épistémologiques de la géographie universitaire

C'est depuis seulement une vingtaine d'années que l'on a commencé de s'étonner de l'absence quasi totale de toute réflexion théorique dans la corporation des géographes universitaires. Alors que cette discipline aurait dû inciter à d'amples débats épistémologiques, ne serait-ce que par sa position à la charnière des sciences naturelles et des sciences sociales et par le nombre des « emprunts » qu'elle fait à ces multiples sciences, les géographes ont affiché un mépris des « considérations abstraites » et se sont souvent fait gloire d'un « esprit terre à terre ». Jusqu'à ces dernières années, les rares déclarations théoriques réservées aux maîtres parvenus au faîte de la carrière ont porté sur leur souhait de voir maintenir l'« unité » de la géographie : unité affirmée au plan du principe entre une géographie « physique » et une géographie « humaine » qui sont, en fait, de plus en plus séparées dans la pratique universitaire.

Alors que, dans d'autres disciplines, il est depuis longtemps jugé indispensable de définir une problématique, les géographes ont continué de faire comme s'ils n'avaient qu'à lire sans problème « le grand livre ouvert de la nature ».

Au demeurant, la plupart des géographes théorisent le moins possible et se contentent d'affirmer sans vergogne que « la géographie est la science de synthèse » tout en convenant parfois que la « géographie ne peut se définir ni par son objet ni par ses méthodes, mais plutôt par son point de vue [1] ». De telles

1. L'article « Géographie », *Encyclopædia Universalis*.

déclarations traduisent tout à la fois une méconnaissance certaine des caractères non moins synthétiques des disciplines auxquelles recourent les géographes, leur isolement (car de tels propos auraient dû provoquer un tollé) et leur peu de souci des problèmes théoriques, même les plus fondamentaux qu'ont dû aborder toutes les sciences, et ce parfois il y a fort longtemps. D'ailleurs nombre de géographes ne cachent pas leurs préventions à l'égard des « considérations abstraites » (spécialement celles des économistes, des sociologues) et se font gloire de leur prédilection pour le « concret ». Certains d'entre eux n'ont-ils pas proclamé « la géographie, science du concret », sans se douter des sourires qu'une telle déclaration ne manque pas de provoquer, pour le moins, lorsqu'elle est connue hors du milieu des géographes, ce qui est finalement assez rare ? Mais pour sommaires qu'elles puissent être, ces déclarations « épistémologiques » qui émanent de maîtres parvenus au faîte de leur carrière ont été relativement rares jusqu'à ces dernières années, et les géographes ne se demandent que rarement ce que peut bien être la géographie. L'un d'entre eux [2], et non des moins distingués, a, devant ses collègues réunis en colloque, caractérisé le géographe comme « un esprit terre à terre ».

C'est seulement depuis quelques années qu'un certain nombre de géographes ont commencé à prendre conscience des problèmes que pose la géographie. Il en est résulté une suite de réflexions sur leur discipline, mais toutes ont éludé jusqu'à présent le rôle de la géographie comme outil de pouvoir politique et militaire.

Ce refus de la réflexion épistémologique qui a longtemps caractérisé les géographes, surtout en France, est d'autant plus surprenant que les géographes utilisent les acquis de nombreuses disciplines très différentes par leurs méthodes et leur outillage conceptuel. En effet, les géographes ne parlent-ils pas tout à la fois de géologie comme de sociologie, de climatologie comme d'économie, de démographie et d'hydrologie, d'ethnologie et de botanique, etc. ? Ce comportement de touche-à-tout ne leur a pas posé d'ailleurs de grands problèmes pour le moment : certes, il arrive fréquemment que l'économiste pour sa part, ou que le géologue pour la sienne, se gausse du peu de compétence des géographes (le géographe est évidemment un bien piètre géologue et un bien médiocre économiste), mais le syncrétisme géographique n'est point critiqué globalement en tant que tel, au

2. J. Labasse, *L'Organisation de l'espace*, Hermann.

nom de principes épistémologiques de base. L'une des tâches fondamentales de la géographie est l'étude des interactions spatiales entre des phénomènes qui sont analysés par des sciences très différentes les unes des autres. Cela implique le souci constant des spécificités épistémologiques de chacune d'elles. Or les géographes font justement preuve de l'attitude inverse. Ils ne peuvent donc, pour le moment, que juxtaposer ces divers éléments extraits de discours différents.

Le peu d'intérêt dont les géographes font montre pour les questions épistémologiques ou, plus modestement, méthodologiques, est d'autant plus surprenant qu'ils doivent constamment prolonger et transformer les travaux des différents spécialistes. En effet, de ces discours si différents, le géographe extrait des éléments dans la mesure où il peut les rapporter à une certaine portion de l'espace terrestre qu'il veut décrire, en tant que lieu d'interaction de divers phénomènes. Or, ces spécialistes dont le géographe cherche à utiliser les travaux, n'ont pas nécessairement des références spatiales identiques et travaillent à des échelles différentes. En fonction des méthodes de sa propre discipline ou pour d'autres exigences, chacun d'entre eux fait référence explicitement ou implicitement (car le cadre spatial n'est pas pour eux essentiel) soit à un espace plus vaste, soit beaucoup plus petit, soit à un certain nombre de lieux qui ne correspondent pas à la « région » qu'étudie le géographe. Ce dernier doit donc « tirer parti » de documents dissemblables, tant par les outillages conceptuels qui ont permis de les élaborer que par leurs correspondances spatiales. Pour décrire une certaine portion de l'espace terrestre, le géographe se trouve donc amené à faire une gamme de raisonnements qui s'apparentent plus ou moins maladroitement à la démarche de chacune des disciplines utilisées.

Cette tâche si complexe et délicate, fondamentale dans la démarche géographique, aurait dû être normalement une raison suffisamment puissante pour que les géographes en viennent à se préoccuper des caractères épistémologiques des autres sciences dont ils avaient à interpréter et à compléter les travaux. En fait, dans la plupart des cas, il n'en a rien été, et les géographes tentent de se sortir d'affaire, plus ou moins bien, à force de flair et d'expérience, de la façon la plus empirique, en prenant dans le discours des autres disciplines ce qui leur semble utile ou digne d'intérêt, sans toutefois avoir clairement établi les raisons de ces choix.

Même indifférence à l'égard des critères des sélections opérées dans les descriptions des paysages, qui tiennent une grande place dans la littérature géographique et pour les descriptions de diverses situations géographiques : le géographe choisit, à travers l'énorme masse des signes, ceux qui lui paraissent significatifs, sans s'être véritablement interrogé sur les raisons de ses choix.

Il choisit de même dans toute une gamme d'espaces : leur taille va de celle d'un village jusqu'à celle de la planète ; à tel ou tel moment de sa description raisonnée, il choisit de se référer à d'autres espaces plus grands ou plus petits ; il met d'abord en place tels phénomènes, puis d'autres, mais sans dire pourquoi il laisse de côté d'importants aspects de la « réalité ». Il n'est que d'observer les différences qui existent entre les descriptions d'espaces identiques qui ont été effectuées par des géographes différents pour mesurer la part de la subjectivité dans ces démarches qu'ils estiment objectives. Certes, toute perception, toute observation, est une suite de choix, mais le propre de la démarche scientifique est de chercher à établir, méthodiquement, les critères de sélection et les fonctions de ces critères. Aussi avec sa tournure encyclopédique, ce qui n'exclut pas pourtant de curieuses lacunes, la géographie peut apparaître comme une des formes typiques d'un savoir préscientifique dont la survivance ne paraît s'expliquer que par la place qu'elle occupe dans les institutions scolaires ou universitaires.

Ces carences auraient dû inciter les philosophes épistémologiques à prendre la géographie pour cible. Or, malgré des exemples presque oubliés, celui de Kant, qui fut d'ailleurs un temps professeur de géographie, les philosophes font preuve d'une indifférence quasi totale à l'égard de la géographie. Mais l'indifférence méprisante des philosophes à l'égard de la géographie lui a en fait assuré une sorte d'immunité qui a renforcé son statut de discours pédagogique ou de savoir institutionnalisé par l'université. Evidemment, dans la mesure où les philosophes se sont intéressés aux sciences pour y trouver un objet, un prétexte à philosopher, ou un tremplin vers la vérité, il est évident que la géographie ne présente guère d'intérêt à leurs yeux. On s'est intéressé au Temps mais bien peu à l'Espace, bien que ces deux catégories soient étroitement liées. Les « archéologues du savoir », qui examinent pourtant avec soin différentes provinces de la pensée préscientifique, ne prêtent aucune attention à la géographie. C'est sans doute que leur intérêt se porte principalement sur les coupures épistémologiques qui ont permis l'apparition des sciences actuelles et que la géographie n'a probablement pas encore connu de rupture fondamentale.

Pourtant l'indifférence des philosophes à l'égard de la géographie apparaît des plus surprenantes dès lors que l'on prend garde au nombre et à la taille des problèmes épistémologiques que pose, en dépit des apparences, le discours des géographes. Ainsi, par exemple (bien qu'ils n'aient guère cherché à se mettre d'accord sur une définition de la géographie), ne proclament-ils pas quasi unanimement qu'une de ses raisons d'être majeures est l'étude des interactions entre ce qu'ils appellent les « faits physiques » et les « faits humains » : la géographie ne relève ni exclusivement des « sciences naturelles » ni seulement de ce qu'il est convenu d'appeler les « sciences sociales ». De ce fait, l'existence de cette géographie, même sous la forme modeste et critiquable d'un savoir institutionnalisé à prétention scientifique, met en cause cette coupure fondamentale entre nature et culture, coupure qui détermine au départ l'organisation du système des sciences.

Il est significatif de constater que les géographes auraient tout aussi bien pu s'affirmer au carrefour de trois ensembles de savoir, celui des sciences de la matière, celui des sciences de la vie et celui des sciences sociales. Mais ils se réfèrent implicitement à cette dichotomie philosophique que l'on veut radicale entre le domaine des choses et le domaine des hommes, pour prétendre fonder le statut de la géographie : une charnière entre la connaissance des faits physiques, c'est-à-dire la « nature » et celle des faits humains. Quelles que soient les façons dont les géographes ont caractérisé la géographie, « science des paysages » ou « science des milieux naturels pour une écologie de l'espèce humaine », « science des formes de la différenciation spatiale », « science de l'espace » ou « géo-analyse », se retrouve le souci d'étudier les interactions entre les « faits humains » (qui relèvent spécifiquement des sciences humaines sociales ou économiques) et les « données naturelles » (qui sont du ressort des sciences de la matière et de celles de la vie).

En regard des différents systèmes des sciences, la géographie fait problème, mais les philosophes n'en ont pas fait cas, bien qu'ils n'eussent sans doute pas manqué d'arguments pour la récuser.

Aujourd'hui ce rapport d'exclusion entre nature et société,

qui est au fondement de l'organisation du savoir, commence à être mis en cause par des philosophes. Pour ce faire, ils exposent des arguments nouveaux qui correspondent dans une notable proportion à ce que disent, certes d'une tout autre façon, nombre de géographes depuis des décennies. Or ces philosophes [3], bien qu'ils soient au fait des travaux d'un grand nombre de disciplines scientifiques très spécialisées, ne font pourtant pas la moindre allusion à ce que la géographie pourrait apporter à leur thèse, et ce bien qu'ils aient lu les ouvrages célèbres de certains géographes.

Une pratique universitaire qui est de plus en plus la négation du projet global

Il n'est déjà pas sans intérêt de constater que l'on fait silence sur la géographie, bien que le statut que lui attribuent les géographes mette en cause implicitement l'organisation générale des connaissances. Mais ce silence apparaît encore plus surprenant lorsque l'on prend garde à ce qui est l'évidence : alors qu'ils proclament quasi unanimement que la raison d'être de la géographie est l'étude des interactions entre « faits physiques » et « faits humains », dans leur pratique les géographes ne paraissent guère se soucier de ces interactions : les uns ne se préoccupent que de « géographie physique » (celle-ci en vient à constituer l'essentiel de la discipline, dans certains systèmes d'enseignement, comme celui de l'URSS par exemple), alors que d'autres se soucient essentiellement de la « géographie humaine ». La pratique de la plupart des géographes apparaît donc comme la négation des principes qu'ils affirment.

Cette institutionnalisation de la coupure entre « géographie physique » et « géographie humaine » (tant au niveau du découpage des cours, des manuels, des programmes du lycée et de la « fac », qu'à celui des critères de recrutement des chercheurs et des professeurs de l'enseignement supérieur) pouvait être un puissant argument qui aurait permis aux philosophes et à d'autres de démontrer le caractère fallacieux du projet d'une géographie unitaire ou charnière. Mais ceux-ci se sont abstenus de toute critique ou commentaire ; comme s'il était préférable de ne pas parler du tout de la géographie.

---

3. Par exemple, Serge MOSCOVICI, *Essai sur l'Histoire humaine de la nature*, 1968 ; *La Société contre nature*, 1972.

Cette coupure entre les « géographes physiciens » et les « géographes humains » s'accentue, au fur et à mesure que les uns doivent « suivre » les progrès des sciences physiques et naturelles qui deviennent de plus en plus précises et que les autres cherchent à appliquer les méthodes nouvelles des sciences sociales. L'écart devient tel entre ces deux groupes de géographes que quelques-uns ont réclamé l'abandon explicite du projet de la géographie unitaire pour pouvoir tirer profit des progrès d'une division du travail scientifique.

Il est significatif que les géographes aient très longtemps négligé, dans leur enseignement comme dans leur recherche, l'étude des sols et des formations végétales, qui sont aujourd'hui par excellence, sur la plus grande partie des continents, le résultat de ces interactions entre faits « physiques » et « humains », interactions que l'on continue à présenter pourtant comme la raison d'être de la géographie. De la même façon, le géographe n'accorde guère d'intérêt aux problèmes de l'« environnement », de la « pollution », bien qu'ils soient eux aussi le résultat de ces interactions entre « milieu naturel » et activités humaines. En revanche, par la tradition d'une pratique non moins significative, les géographes portent un intérêt tout particulier aux structures géologiques, qui n'interviennent pourtant que très indirectement et très accessoirement dans les fameuses « interactions »...

Certes, il y a bien la « géographie régionale », ce troisième morceau résultant du découpage officialisé de la géographie. Cette géographie régionale, que l'on charge de maintenir « l'unité » de la géographie, rassemble à propos de telle ou telle partie de l'espace terrestre des éléments divers qui sont tirés des discours du géologue, du climatologue, de l'hydraulicien, du botaniste, etc., comme de ceux du démographe, de l'ethnologue, de l'économiste et du sociologue. La diversité de ces emprunts est habituellement considérée comme la preuve d'une démarche qui appréhenderait effectivement les interactions entre des phénomènes étudiés spécifiquement par divers spécialistes. Or il faut bien constater que dans la plupart des cas, dans la majorité des cours et des manuels de « géographie régionale », cette analyse des interactions est en fait une énumération dans un certain ordre (1. relief, 2. climat, 3. végétation, 4. fleuve, 5. population, etc.) des différents éléments de discours empruntés aux autres disciplines qui sont juxtaposés les uns aux autres. Cette juxtaposition, cette énumération qui est manifeste dans les manuels du secondaire, dans les cours de l'enseignement supérieur, dans les articles géographiques des encyclopédies, se retrouve, quoique moins évidente parfois et malgré le talent de géographes de grand renom, dans les grandes lignes qui charpentent les thèses de géographie régionale qui ont fait la célébrité de l'école géographique française.

Comment pourrait-il en être autrement quand la « géographie générale », qui fournit l'essentiel de l'outillage conceptuel utilisé dans les études de « géographie régionale », se caractérise depuis des décennies par cette coupure de plus en plus marquée entre géographie « physique » et géographie « humaine » ? Cette coupure a pour effet de rendre sinon impossible du moins très difficile cette analyse des interactions entre les facteurs de diverses natures que prétendent effectuer les géographes.

Cette coupure entre « géographie physique » et « géographie humaine », qui se manifeste avec encore plus de morcellement dans le discours encyclopédique de la « géographie régionale », cette négation dans la pratique de l'enseignement et de la recherche du projet que prétendent poursuivre les géographes ne traduit pas seulement les difficultés réelles de leur entreprise, mais aussi et surtout leur méfiance, sinon leur refus, à l'égard de toute réflexion épistémologique. De même qu'ils estiment appréhender directement ce qu'ils appellent, d'une façon très symptomatique, les « données » géographiques, sans se soucier des présupposés de leurs observations, confondant ainsi l'objet réel et l'objet de connaissance, de même les géographes considèrent que les divers éléments qu'ils extraient du discours des différents spécialistes sont de simples « données ». Pourtant, le géologue, le climatologue, le botaniste, le démographe, l'économiste, le sociologue, dont la géographie utilise une partie des travaux, ont mis chacun en œuvre une méthode et un outillage conceptuel qui sont spécifiques d'une science particulière dont les objectifs ne sont pas ceux de la géographie. Le géographe, qui ne se soucie guère de la construction des concepts et qui use constamment de notions extrêmement floues (région, pays...), utilise les productions des autres disciplines, sans se poser à leur égard plus de questions qu'il ne s'en pose à propos de la géographie.

Absence de polémique entre géographes. Absence de vigilance à l'égard de la géographie

Cette carence épistémologique dont font montre les géographes traduit, sans doute, mais de façon très inconsciente, le malaise épistémologique originel de la géographie des professeurs, la transformation d'un savoir stratégique en un discours apolitique et « inutile ». Cela résulte pour une bonne part de l'influence des idées « vidaliennes ».

La transformation d'un savoir qui a été explicitement politique en un discours qui nie sa signification politique, qui accepte de renoncer à l'efficacité et qui se coupa des sciences sociales, peut paraître une opération impossible à réaliser, du moins sans de très violentes polémiques. Elles ne se manifestèrent point.

Pourtant, Vidal de La Blache ne fut pas, quoi qu'on en dise, le premier « grand » géographe en France. Il y avait eu avant lui Elisée Reclus (1830-1905), dont l'œuvre connut un succès considérable, en France et à l'étranger, parmi un très large public, en dehors des systèmes scolaires, depuis les milieux cultivés de la haute bourgeoisie jusqu'aux groupes d'extrême gauche. Pour le grand penseur anarchiste, la géographie non seulement ne peut ignorer les problèmes politiques, mais elle permet de mieux les poser, sinon d'en révéler l'importance.

Cependant l'ancien communard, proscrit hors de France, ne put créer une « école », et son nom fut soigneusement oublié à l'Université, en particulier par ceux qui « pillèrent » sans vergogne les 19 tomes de sa grande *Géographie universelle*, parfois pour en utiliser de nombreux passages dans celle qui était placée sous le patronage de Vidal.

Celui-ci fut en France le premier maître de la géographie des professeurs ; sans rival, il choisit ses disciples, lesquels, installés dans leur chaire de province, firent de même, en s'attachant à la fidèle reproduction des orientations fondamentales, en veillant surtout, mais sans même s'en rendre compte, à ce qu'aucune réflexion théorique ne puisse risquer de les mettre en cause.

Toutefois cette carence épistémologique des géographes ne peut pas s'expliquer seulement par le mécanisme de reproduction des idées des maîtres dans le système universitaire, ni par le caractère plus fortement mystificateur de leur position théorique.

Le système universitaire n'a pas empêché les polémiques dans d'autres disciplines. En géographie, des conflits de personnes oui, mais pas de problème (ou si peu...). Ainsi, lorsque après 1950 un géographe comme Pierre George commença d'établir des ponts avec la sociologie et l'économie, entreprit l'étude des phénomènes industriels et urbains qui étaient occultés depuis Vidal, et « pire encore », pourrait-on dire, montra l'importance de la distinction entre pays capitalistes et pays socialistes, cette orientation qui allait pourtant radicalement à l'encontre de la géographie vidalienne suscita bien des aigreurs de couloir mais aucun débat théorique.

L'indolence des géographes à l'égard des problèmes théoriques, indolence qui fait place depuis quelques années, chez certains, à une allergie parfois brutale, s'accompagne de leur souci d'éviter toute polémique qui puisse déboucher sur un problème théorique.

Aussi est-il plus sûr de s'abstenir de tout débat. Chaque chercheur, élevé au grade de docteur, n'est-il pas celui qui connaît le mieux « sa » région. A une époque où il n'y avait qu'un très petit nombre de professeurs de géographie dans les facultés, le système des chaires a longtemps donné à chaque maître le monopole, dans le ressort de son université, de telle ou telle grande partie de la géographie, ce qui limitait les divergences d'opinion : à l'un, la géographie physique, à l'autre, la géographie humaine, au troisième la « régionale ».

On ne peut comprendre l'influence exercée par la pensée de Vidal de La Blache si l'on se borne à n'en considérer que les effets négatifs ; on doit aussi souligner ses aspects positifs, car ce sont eux qui ont rendu possible, dans une grande mesure, son rôle prépondérant jusqu'à une époque récente.

L'école géographique française, dont Vidal de La Blache fut le maître à penser, tint à se démarquer de la géographie allemande, tout particulièrement de la pensée de Ratzel. Et pour cause, car cette dernière apparaissait évidemment comme une légitimation de l'expansionnisme du Reich. Toutefois, bien que l'œuvre de Ratzel soit méconnue en France, certaines des idées qu'il avait développées se retrouvent dans la géographie humaine française.

Avec le *Tableau de la géographie de la France* et avec les grandes thèses qu'il a inspirées, ou les quinze tomes de *La Géographie universelle* (A. Colin) dont il a influencé la conception, Vidal de La Blache a introduit l'idée des descriptions régionales approfondies, qui sont considérées comme la forme la plus fine du raisonnement géographique. La méthode vidalienne de description régionale est évidemment bien meilleure que celle de Reclus : si le géographe libertaire donne toute sa mesure, lorsqu'il prend l'Etat comme espace de conceptualisation, ses descriptions des régions françaises paraissent singulièrement pauvres. Vidal montra comment les paysages d'une région sont le résultat de l'enchevêtrement, tout au long de l'histoire, des influences humaines et des données naturelles. Les paysages qu'il dépeint et analyse sont essentiellement un héritage historique. De ce fait, Vidal de La Blache combattit avec vigueur la thèse « déterministe » selon laquelle les « données naturelles » (ou telle d'entre elles) exercent une influence directe et déterminante sur les « faits humains » et il donne un rôle majeur à l'histoire, pour rendre compte des rapports entre les hommes et les « faits physiques ».

La richesse de l'apport de Vidal de La Blache a été maintes fois soulignée en France comme à l'étranger ; mais les difficultés dans lesquelles se trouve aujourd'hui empêtrée cette géographie qu'il a profondément marquée font que l'on doit se résoudre à considérer cet apport comme contradictoire.

Il marque la rupture, en fait, entre la géographie et les sciences sociales, bien qu'il analyse plus finement les « faits humains » pris en considération par le raisonnement géographique. « *La géographie est la science des lieux et non pas celle des hommes* », a-t-il pu écrire. Non pas qu'il se désintéressât de la « géographie humaine » ; elle est pour lui l'essentiel, mais il tient à la séparer nettement des sciences sociales, comme le montre la polémique (trop peu connue) qui l'opposa à Durkheim. Pour Vidal de La Blache, la géographie humaine c'est essentiellement l'étude des formes d'habitat, la répartition spatiale de la population. La conception vidalienne de la géographie, qui appréhende l'homme en tant qu'*habitant* de certains lieux, place en fait l'étude des « faits humains » dans la dépendance de l'analyse des faits physiques. Certes plus ou moins transformés par l'évolution des hommes, mais « physiques » tout de même, car, malgré l'abondance des références à l'histoire, les cadres spatiaux, les *lieux* sont essentiellement conçus comme des cadres physiques (« espaces naturels », « milieux géographiques », régions naturelles ou délimitées par des données naturelles).

Aussi, jusqu'à une époque relativement récente, la problématique mise en œuvre par les géographes pour l'étude des sociétés humaines ne relevait pas, pour l'essentiel, des sciences sociales, mais des sciences naturelles, celles auxquelles on recourt pour l'étude du milieu physique. Ainsi, la coupure entre « géographie physique » et « géographie humaine » n'était-elle pas aussi manifeste qu'aujourd'hui, et l'unité de la géographie pouvait-elle être affirmée ; certes, au prix d'un certain nombre de mystifications et de silences, car le discours géographique s'efforce d'évacuer les « faits humains » qui relèvent trop évidemment des sciences économiques et sociales. Pendant longtemps, les géographes ne sont presque exclusivement préoccupés d'habitat rural et d'agriculture (influence du climat). Les villes n'étaient évoquées que par rapport à leur site topographique originel et à leur situation en regard des principaux contrastes de relief de la région environnante. Quant à l'étude de l'industrie, elle était, sinon systématiquement ignorée, du moins réduite à l'énumération de localisations des centres industriels en fonction des gisements de matières premières.

Certes, pour expliquer ces silences, on a pu dire que les géographes de ce temps, et Vidal de La Blache tout le premier, n'avaient pas encore pris conscience du rôle des industries et des grandes agglomérations urbaines. Cependant, Elisée Reclus, qui publie quelque vingt ans plus tôt un ensemble d'ouvrages qui ont connu un très grand succès, fait une grande place aux villes, aux industries et à ces problèmes économiques, sociaux et politiques qui seront éludés par la suite. Mais l'ancien communard, penseur de l'anarchie, vivait en exil, alors que M. Vidal de La Blache, professeur à la Sorbonne et membre de l'Académie des sciences morales et politiques, partage les idées de Maurice Barrès [1].

D'autres disciplines, l'histoire, l'économie par exemple, ont connu des handicaps du même ordre, et pourtant ils n'ont pas empêché l'apparition et le développement des polémiques et des discussions théoriques dont elles sont le théâtre depuis longtemps. Certains types de débats y sont déjà clos alors qu'ils ne se posent que depuis fort peu de temps en géographie.

Or, et cela est un point très important, les polémiques qui se sont déroulées et qui se déroulent encore, quant à l'histoire ou aux sciences sociales, se situent au niveau politique, en liaison avec les problèmes de la société tout entière et non pas dans le seul cadre universitaire.

Depuis longtemps, l'histoire est polémique : on fait la critique des sources ; on n'est pas d'accord avec telle ou telle explication ; nombre d'hommes politiques publient leurs mémoires et parfois deviennent historiens. Il y a surtout que l'histoire est devenue la trame de la polémique politique. Avec le développement du marxisme, l'histoire, l'économie politique et les autres sciences sociales ont été profondément transformées, et, dans ces domaines, polémique politique et débat scientifique ont été encore plus étroitement associés ; les théories des historiens et des économistes, en raison de leur portée politique directe ou indirecte, ont fait l'objet d'une vigilance constante et d'un débat permanent qui s'est déroulé d'abord en dehors de l'Université, puis à l'intérieur même des milieux universitaires. Les progrès de l'histoire et des sciences sociales sont dans une grande mesure le fruit des luttes de classes.

Jusqu'à une époque toute récente, rien de tel pour la géographie : non seulement aucune polémique de fond entre géographes, mais surtout aucune vigilance à l'égard de leurs propos de la part des spécialistes d'autres disciplines ou de la part de ceux qui se posent des problèmes politiques.

Cette absence de vigilance à l'égard de la géographie est d'autant plus frappante qu'on utilise de plus en plus son langage, non seulement dans les médias, mais aussi dans de nombreuses disciplines scientifiques. Tout le monde parle de « pays », de « régions », sans prendre garde le moins du monde

---

1. Cf. P. Claval et J.-P. Nardy, *Pour le cinquantenaire de la mort de Vidal de La Blache*, Annales de l'université de Besançon, 1968.

au caractère très flou de ces notions élastiques et glissantes, et aux conséquences fâcheuses qui peuvent résulter de leur utilisation pour la rigueur du raisonnement. A bien y regarder, il est frappant de constater avec quelle naïveté, avec quel manque d'esprit critique, l'historien, l'économiste, le sociologue utilisent les arguments géographiques dans leur propre discours : évoquées d'ailleurs non sans quelque condescendance, les « données géographiques » sont acceptées sans la moindre discussion, comme si l'on n'avait qu'à s'incliner devant les « impératifs géographiques ». Or les « données » géographiques ne sont pas fournies par Dieu, mais par tel géographe qui, non content de les appréhender à une certaine échelle, les a choisies et classées dans un certain ordre ; un autre géographe, étudiant la même région ou abordant le même problème à une autre échelle, fournirait probablement des « données » assez différentes. Quant aux fameux « impératifs » géographiques, dont on est si friand chez les économistes par exemple, les géographes savent tout de même (en particulier depuis Vidal de La Blache, dont ce fut un des apports les plus positifs) que les hommes s'en accommodent de façon fort différente, et qu'il n'y a guère de « déterminisme » strict, mais bien plutôt un « possibilisme ».

Le peu de précaution avec lequel les spécialistes des autres disciplines, les historiens et les économistes en particulier, utilisent l'argument géographique, ce qui a d'ailleurs pour effet de faire déraper leur propre raisonnement, traduit le manque de vigilance à l'égard du discours géographique. En effet on n'en perçoit ni les incidences politiques ni la fonction idéologique. L'argument géographique apparaît comme « neutre » ou « objectif », comme s'il relevait des sciences naturelles ou des sciences « exactes ». Tout semble se passer comme si une sorte de conspiration du silence avait été faite autour de la géographie, pour que l'on puisse utiliser, sans avoir à se poser de problème, les arguments quelque peu triviaux fournis par cette discipline bonasse et peu reluisante. Certes les souvenirs fastidieux que l'on garde des leçons de géographie ne sont pas tellement faits pour inciter à se pencher avec intérêt sur les problèmes de cette « science ». Mais comment se fait-il que, jusqu'à présent, aucun philosophe n'ait voulu régler son compte à cette vieille discipline qui a laissé de si mauvais souvenirs à tant de potaches ? Comment se fait-il qu'aucun historien, contraint non seulement d'ingurgiter de la géo pour passer sa licence et ses concours, mais aussi contraint de l'enseigner au lycée, n'ait mis en cause cette discipline qui lui a été imposée ? La démarche des géographes n'aurait pu rester ce qu'elle est encore aujourd'hui si elle avait fait l'objet de polémiques et de débats.

Durant des siècles, jusqu'à la fin du XIXe, avant que n'apparaisse le discours géographique universitaire, la géographie était unanimement perçue comme un savoir explicitement politique, un ensemble de connaissances variées indispensable aux dirigeants de l'appareil d'Etat, non seulement pour décider de l'organisation spatiale de celui-ci, mais aussi pour préparer et mener les opérations militaires et coloniales, conduire la diplomatie et justifier leurs ambitions territoriales. Pourtant, à partir de Vidal de La Blache, fondateur de l'école géographique française, et à partir du *Tableau de la géographie de la France* (1905), immédiatement considéré comme un modèle de description et de raisonnement géographiques, le discours des géographes universitaires (c'est ce que, dès lors, on appelle « géographie ») va exclure toute référence au politique et même à tout ce qui peut y faire penser — au point que furent « oubliées », pendant plusieurs décennies, les villes et l'industrie. Depuis les années cinquante, les géographes — du moins ceux qui se limitent à la géographie humaine — se soucient des phénomènes économiques et sociaux, au point que certains d'entre eux confondent leur discipline avec l'économie, avec la sociologie et souhaitent voir la géographie se fondre dans l'ensemble des sciences sociales. Mais, pour la quasi-totalité des géographes universitaires, les problèmes géopolitiques — qui, jusqu'à la fin du XIXe siècle, étaient une des raisons d'être fondamentales de la géographie — restent un véritable tabou. Pas question d'aborder les problèmes de la guerre et ceux de la rivalité entre les Etats : ce n'est pas *scientifique*, disent-ils, ce n'est pas de la géographie !

Des conceptions plus ou moins larges de la *géographicité*. Un autre Vidal de La Blache

Qu'est-ce qui est géographique, qu'est-ce qui ne l'est pas ? Voilà une question essentielle, encore qu'elle soit implicite dans les réflexions de la plupart des géographes. Bien plus, ceux qui sont en position de pouvoir dans la corporation n'hésitent pas à brandir l'argument : « Ça n'est pas de la géographie ! » pour récuser les propos qui leur déplaisent (d'ailleurs sans trop savoir pourquoi) et sanctionner ceux qui les tiennent. Mais quels sont les critères de la *géographicité ?* Je propose ce terme, qui à beaucoup paraîtra saugrenu, en parallèle à celui d'historicité dont on fait maintenant un usage courant. Depuis le XIXe siècle et surtout depuis quelques décennies, les historiens se sont peu à peu rendu compte qu'il était intéressant ou nécessaire de prendre en compte des catégories de phénomènes de plus en plus nombreuses, que leurs prédécesseurs avaient négligées ou écartées, ne les jugeant pas dignes d'être envisagées et de faire partie de l'histoire. En allant de l'histoire des souverains, des batailles et des traités jusqu'à celle du costume et de l'alimentation populaires, en passant par celle des relations salariales et des pratiques matrimoniales, le champ de l'historicité s'est progressivement et considérablement élargi.

C'est une évolution inverse qu'a connue la corporation des géographes. Ils sont souvent tentés de penser que *tout* est géographique, mais il suffit de feuilleter les ouvrages qu'ils jugent exemplaires pour se rendre compte qu'ils ont une conception plus ou moins restrictive de la géographicité, puisqu'ils ont longtemps laissé de côté des phénomènes considérables et veulent encore totalement ignorer les problèmes géopolitiques dont, grâce aux médias, l'ensemble de l'opinion mesure la gravité.

Pour comprendre ce qu'a été véritablement l'évolution de la pensée géographique en France depuis le début du XXe siècle, pour être en mesure de discerner ses caractéristiques épistémologiques actuelles, la conception de la géographicité à laquelle les géographes se réfèrent plus ou moins implicitement, il importe de saisir pourquoi, dans le cadre de leur corporation, certains phénomènes spatiaux sont considérés comme dignes d'intérêt, alors que d'autres, qui se déroulent tout autant dans l'espace, sur le terrain, et dont tout le monde parle, ne sont pas considérés comme dignes d'une analyse scientifique ; c'est essentiellement le cas des phénomènes politiques et militaires. Elisée Reclus, lui, leur portait une très grande attention, ce qui, à l'époque, n'avait en soi rien d'extraordinaire : au XIXe siècle, l'idée qu'on se faisait de la géographie impliquait la prise en considération, pour une très large part, de ces problèmes. Et il ne s'agit pas seulement de la cartographie, mais de la description raisonnée de l'espace politique, des hommes et des ressources qui s'y trouvent ; Humboldt, considéré à juste titre comme le premier grand géographe moderne pour son grand ouvrage *Le Cosmos*, a aussi publié (en français) cinq volumes d'*Essai politique sur le royaume de la Nouvelle-Grenade* (1811) et d'*Essai politique sur l'île de Cuba* (1811). Au début du XXe siècle, Ratzel mène de front l'*Anthropogeographie* et la *Politische Geographie* : en cette Allemagne, où est apparue, pour la première fois au monde, la géographie universitaire, celle-ci fut alors perçue comme une discipline étroitement liée aux questions politiques et militaires.

En France, la géographie universitaire (à de très rares exceptions près, que la corporation a soigneusement oubliées) va rejeter, dès ses premiers pas, ces problèmes, pour s'affirmer en tant que science, comme si les évoquer risquait de la discréditer. Certes, ils avaient fait l'objet de maints discours propagandistes, mais les historiens, malgré leur souci croissant d'objectivité, ne rejetaient pas pour autant le récit et l'explication des phénomènes politiques. Pourtant, c'était l'époque des grands sentiments patriotiques et même chauvins, et il est fort étonnant qu'ils n'aient pas inspiré l'école géographique française avant 1914, alors qu'ils se manifestent clairement dans les textes de la géographie scolaire, surtout dans les manuels de l'enseignement primaire. Pourquoi n'y a-t-il pas eu de géographes français pour écrire un traité de géographie politique qui aurait pris le contre-pied des thèses expansionnistes de Ratzel ? Dans les *Annales de géographie* (1898), Vidal fit un compte rendu évidemment très critique de la *Politische Geographie*, mais ce fut à peu près tout, du moins si l'on se réfère aux livres et articles retenus par la corporation, qui, aujourd'hui plus que jamais, proscrit l'analyse des problèmes géopolitiques.

Lorsque j'ai écrit ce livre, j'imputais cette permanence de l'exclusion des phénomènes politiques du champ de la géographicité à l'influence considérable exercée par Vidal de La Blache sur l'école géographique française : après sa mort, le « modèle vidalien » fut reproduit par l'enseignement de ses disciples, restés les maîtres de la géographie universitaire française jusqu'à la Seconde Guerre mondiale. Depuis 1976, j'ai été conduit à modifier profondément cette explication et je ne peux laisser republier cet ouvrage sans attirer l'attention sur le dernier livre de Vidal de La Blache, *La France de l'Est (Lorraine-Alsace)*, publié en 1916 et totalement méconnu de la quasi-totalité des géographes français aujourd'hui. Parce que ce livre, auquel Vidal attacha une grande importance — et à juste titre ! —, est une analyse de géopolitique, parce qu'il allait ainsi radicalement à l'encontre du fameux « modèle vidalien » auquel la corporation s'est complu durant des décennies, elle s'est empressée d'oublier *La France de l'Est* pour ne retenir que le *Tableau de la géographie de la France.*

Pour se rendre compte de la profondeur de l'oubli dans lequel est tombé ce livre, il suffit de constater qu'André Meynier, dont la vénération pour le maître est très grande, n'en souffle mot dans son *Histoire de la pensée géographique en France*, pas même en bibliographie. Meynier s'étonne même dans une note (p. 29) que le père de la géographie française n'ait fait aucune allusion à l'annexion de l'Alsace-Lorraine en 1871, alors que c'est le problème central de l'ultime ouvrage de Vidal.

Comme la plupart des géographes français, je ne l'avais pas lu — *mea culpa* — lorsque j'ai écrit *La géographie, ça sert, d'abord, à faire la guerre.* Or, il est à noter qu'aucune des critiques faites à cet essai-pamphlet n'a fait allusion à *La France de l'Est* pour défendre le Vidal que j'avais attaqué. C'est par le détour de la géopolitique, dans le cadre d'une étude plus approfondie, que j'ai découvert, avec stupéfaction, le véritable contenu de ce livre tellement méconnu. Certes, on trouve dans une première partie, « La Contrée », le style des descriptions vidaliennes, les paysages d'Alsace, des Vosges, de la plaine lorraine, les portraits du paysan alsacien, du peuple de Lorraine... Mais tout le reste de l'ouvrage est consacré aux problèmes que Vidal a systématiquement éludés dans ses descriptions du *Tableau :* non seulement les villes, mais aussi le rôle des différentes bourgeoisies urbaines ; non seulement l'industrie, mais les différentes stratégies d'industrialisation, l'origine des capitaux et les aires où ils sont investis ; non seulement les phénomènes sociaux, y compris « les relations entre les classes » (comme dit Vidal), bien différents selon les diverses parties de l'espace envisagé, mais aussi les problèmes politiques et militaires. Les différences de conception de la géographicité sont si grandes entre le *Tableau* et *La France de l'Est* qu'on serait tenté de penser qu'ils sont l'œuvre de deux géographes très différents, opposés même par leur façon de raisonner et de poser les problèmes. Douze ans séparent les deux livres, et l'on se rappellera aussi que le *Tableau*[1] est un ouvrage de géographie historique et que, dès 1910, Vidal avait proposé un découpage régional basé sur l'aire d'influence des grandes villes, donc tout à fait différent de celui qu'il avait détaillé en 1905. Cependant les textes tardifs regroupés dans les *Principes de géographie humaine* (1921) témoignent d'une géographicité restreinte et montrent que, dans son discours de géographe universitaire, Vidal n'accordait guère d'intérêt aux villes, à l'industrie et, moins encore, aux problèmes politiques et militaires.

Comment expliquer l'ampleur de la géographicité qui se manifeste dans les raisonnements de *La France de l'Est*, la diversité des phénomènes économiques, sociaux et politiques que Vidal prend en compte dans cet ouvrage ? C'est qu'il ne s'agit pas d'une description géographique de type universitaire, conforme à l'idée qu'on se fait alors de la géographie dans l'Université, mais d'un raisonnement politique, d'une démonstration géopolitique. Il ne s'agit pas de décrire et

1. C'est le tome I de l'*Histoire de France, depuis les origines jusqu'à la Révolution*, d'Ernest Lavisse. L'exclusion des transformations économiques et sociales que la France a connues au XIXe siècle peut donc se justifier. Encore aurait-il fallu que la corporation des géographes prît conscience qu'il s'agissait d'un ouvrage de géographie *historique*. On l'a pris pour un modèle de description géographique de la France des débuts du XXe siècle.

d'expliquer les phénomènes jugés dignes d'être pris en considération compte tenu des traditions de la corporation, de ses rapports avec d'autres disciplines ou des canons de scientificité, mais de démontrer que l'Alsace et la Lorraine, annexées par l'Empire allemand en 1871, doivent être rattachées à la France. D'ailleurs, dès la première phrase, Vidal prévient qu'« il n'y a pas une ligne de ce livre qui ne se ressent des circonstances parmi lesquelles il a été rédigé ». Ces circonstances, que Vidal ne précise pas, quelles sont-elles ? En 1916, en pleine guerre, point n'est besoin de dire aux Français les raisons pour lesquelles ces provinces doivent revenir à la France. Mais les dirigeants des Etats alliés, en particulier les Américains, n'en sont pas tellement convaincus, car la majeure partie des populations d'Alsace et de la partie de Lorraine annexée en 1871 est de parler germanique : selon le « principe des nationalités », elles devraient donc rester à l'Allemagne. Le président Wilson, qui fut professeur d'histoire et de science politique, estime même qu'en cas de victoire des Alliés il faudrait, là comme ailleurs, procéder à un référendum, solution que refuse le gouvernement français. La thèse française doit donc être étayée par une argumentation sérieuse. Il serait intéressant de savoir si Vidal s'est mis spontanément à l'ouvrage ou à la demande du gouvernement. Il n'importe : Vidal ne rédige pas un rapport de circonstance, mais un grand livre — ce que je crois être son vrai grand livre.

Vidal part donc du fait le plus embarrassant : l'Alsace et une grande partie de la Lorraine sont de culture germanique. Il va ensuite montrer que la langue n'est pas le seul aspect à prendre en considération dans le fait national et qu'il faut tenir compte de toutes les caractéristiques économiques, sociales, politiques d'un groupe d'hommes et de ses relations profondes avec tel ou tel centre politique. Il va mettre en évidence l'étroitesse des liaisons de l'Alsace et de la Lorraine avec la France (avec sa capitale en particulier), en montrant qu'en 1789 c'est le mouvement révolutionnaire venu de Paris qui a déterminé dans ces deux provinces périphériques une transformation des structures économiques et sociales proportionnellement plus forte que dans d'autres régions françaises. C'est pourquoi la seconde partie du livre s'appelle « La Révolution et l'Etat social ». Laissant de côté ses opinions plutôt conservatrices, Vidal explique le rôle particulièrement important des Alsaciens et des Lorrains dans la lutte révolutionnaire (le rôle de l'« armée du Rhin ») : « La Révolution a soudé l'union de l'Alsace et de la Lorraine à la France. » Mais il se rend bien compte que sa démonstration n'est pas suffisante : depuis 1871, ces territoires, annexés au Reich, ont connu d'importantes transformations, en particulier un puissant mouvement d'industrialisation dont les Allemands se font gloire. La troisième partie de *La France de l'Est* est donc consacrée à « l'évolution industrielle ». Vidal montre que celle-ci a commencé bien avant 1871 et que, depuis, la domination de la Ruhr l'a plutôt freinée. En analysant le rôle des bourgeoisies de Mulhouse, de Strasbourg, de Nancy, de Metz, Vidal montre aussi que c'est avant 1871 que s'est opérée ce qu'on appelle aujourd'hui l'« organisation de l'espace » : « L'idée régionale, écrit-il (p. 163), est sous sa forme moderne une conception de l'industrie ; elle s'associe à celle de métropole industrielle. » Que nous sommes loin des descriptions ruralisantes du *Tableau* ! Enfin, dans la dernière partie, Vidal analyse, dans un cadre spatial beaucoup plus vaste : celui de l'Europe, la rivalité des deux grands appareils d'Etat qui se disputent l'Alsace et la Lorraine.

Avec *La France de l'Est*, Vidal de La Blache a réalisé une des analyses géographiques les plus complètes et les mieux articulées que compte la géographie française, mais les géographes français, en dépit de leur culte pour Vidal, ignorent ce livre.

Ils ont voulu l'ignorer à peine était-il publié ! S'il est utile de s'interroger sur les causes du silence qui a été fait autour de l'œuvre de Reclus, il est non moins nécessaire de se demander pourquoi *La France de l'Est* a été ainsi escamotée. Après 1918, l'Alsace et la Lorraine étant rattachées à la France, il est probable que les géographes français se sont imaginé que ce livre n'était qu'une œuvre de circonstance dépassée ; ceux de gauche, par la suite, pensèrent qu'il s'agissait, de surcroît, d'un discours cocardier. Les rares géographes qui ouvrirent ce livre durent sans doute considérer, en raison du modèle de géographicité qu'ils avaient alors, que « ce n'était pas de la géographie », mais un livre d'histoire ou de politique.

Il faut se rendre compte que le modèle vidalien classique, celui du *Tableau*, cette conception de la géographicité qui évacue les problèmes économiques, sociaux et surtout les problèmes politiques, ce n'est pas Vidal de La Blache qui les a formulés sur un plan théorique, mais un historien d'envergure, Lucien Febvre, dont le livre *La Terre et l'Evolution humaine*.

Introduction géographique à l'histoire (1922) a exercé une influence considérable sur la corporation des géographes. Ce fut en effet pendant longtemps la principale réflexion épistémologique sur la géographie et son évolution, preuve majeure de la carence épistémologique des géographes universitaires. C'est en vérité Lucien Febvre qui formula les positions théoriques que l'on prête depuis à Vidal, en particulier celle du « possibilisme » : « Vidal n'est pas un monteur de théories », écrit Lucien Febvre, qui les agença à sa place.

Des historiens qui veulent « une géographie *modeste* »

Pour comprendre le rôle de Lucien Febvre et l'influence de son livre dans l'évolution des idées des géographes, il faut tenir compte de leurs carences épistémologiques et de leur difficulté à faire face aux critiques acerbes que les sociologues Marcel Mauss, Simiand et Durkheim formulent à leur égard dans les premières années du XXᵉ siècle. Les géographes semblent avoir subi les coups sans y répondre, et c'est le brillant historien qu'était déjà Lucien Febvre qui prit leur défense. En fait, il se pose en arbitre dans le procès d'« impérialisme » que les sociologues font aux géographes, pour finalement rendre un jugement en faveur de ces derniers, à la condition qu'ils ne dépassent pas certaines limites. Mais ces limites, c'est Lucien Febvre qui les établit, et il va même jusqu'à esquisser les orientations du travail des géographes. Le renom et l'influence des idées vidaliennes, du moins telles que les formula Lucien Febvre, doivent beaucoup à son livre magistral et au soutien de la fameuse « Ecole des Annales » qu'il fonda peu après (1928) avec Marc Bloch, et qui est devenue fort puissante. Or, dans *La Terre et l'Evolution humaine*, malgré l'apologie et l'exégèse qu'il fait des thèses « vidaliennes », Lucien Febvre ne souffle mot de *La France de l'Est*, silence d'autant plus remarquable que Lucien Febvre, dans le début des années vingt, était professeur à Strasbourg et qu'il publia en 1925 *Le Rhin*, en collaboration avec Albert Demangeon. Le livre de Febvre étant devenu pour plusieurs décennies le bréviaire théorique des géographes vidaliens, on ne parla plus de la dernière œuvre du maître.

Il faut donc tenir compte que le « message vidalien » a été

formulé par un historien conquérant et que Lucien Febvre, s'instituant arbitre dans le procès que les sociologues font aux géographes, argumente à la place de ces derniers, puisqu'ils restent muets, dans le débat théorique. Mais, si Lucien Febvre rend son jugement en faveur de la jeune géographie universitaire et s'il l'assure de la protection de la déjà puissante corporation des historiens, c'est à la condition qu'il s'agisse d'une « géographie humaine *modeste* » (c'est le titre d'un des chapitres de son livre). Selon lui, qu'est-ce qu'une géographie *modeste* ? C'est une géographie qui ne touche pas aux questions politiques et militaires, qui évoque le moins possible les problèmes économiques et sociaux, qui traite des conditions géologiques et climatiques des sols et de l'habitat rural, mais fort peu des villes — bref, une conception des plus restreintes de la géographicité, celle du *Tableau*.

Pourquoi cette réduction de la géographicité par rapport à celle qui se manifeste dans l'œuvre de Reclus (Lucien Febvre la connaît mais il n'en parle que fort peu, et pour cause) et dans *La France de l'Est* de Vidal ? Parce que c'est le moment où un certain nombre d'historiens — les plus entreprenants — ont une conception de plus en plus large de l'historicité. Ceux de l'Ecole des Annales, en particulier, élargissent les préoccupations de l'historien, mais aussi son magistère, à l'économique, au social, au culturel, au démographique. Il ne faut surtout pas une géographie qui risque de porter atteinte à l'hégémonie que les historiens exercent sur le discours qui traite du politique et de ce qui a trait aux Etats.

Lucien Febvre sait très bien qu'autrefois, et jusqu'au milieu du XIXe siècle, avant le développement de la géographie universitaire, les géographes, de par leur fonction au sein de l'appareil d'Etat, avaient à s'occuper principalement de problèmes politiques et militaires. Certains géographes (peu nombreux en France) s'en soucient encore, bien qu'universitaires. Il faut donc condamner cette préoccupation qui porte atteinte au monopole que s'arrogent les historiens. Voilà le pourquoi des attaques contre Jean Brunhes dont *La Géographie de l'histoire. Géographie de la paix et de la guerre* (1921) paraît d'une outrecuidance insupportable à Lucien Febvre. Fort habilement, il assimile toute réflexion de ce genre, en géographie, à celles de Ratzel, qui a évidemment très mauvaise presse en France, comme champion du pangermanisme. Febvre se garde bien de faire allusion aux analyses géopolitiques d'Elisée Reclus, fort différentes de celles des « ratzéliens ».

Mais, pour mieux interdire aux géographes la réflexion sur les problèmes politiques et ceux de l'Etat, il faut un oukase promulgué par leur maître. Il se trouve que, dans un article de 1913, Vidal s'était laissé aller à écrire incidemment, sans aucunement théoriser, que « la géographie est la science des lieux et non pas celle des hommes », sans mesurer la portée d'un tel propos ; or, il s'agissait, en fait, d'une critique à l'égard de certains discours géographiques qui se contentent de reproduire, sans préoccupation spatiale, les considérations des sociologues ou des économistes. Quoi qu'il en soit, la formule est malheureuse, mais ce n'est qu'une phrase en contradiction avec tout le discours de Vidal. Lucien Febvre s'empare de cette phrase, la commente, la répète à plusieurs reprises, la monte en thèse, tant elle vient à point dans son entreprise de dépolitisation de la géographie, pour assurer la primauté des historiens. Et de proclamer dans le long passage intitulé « Une géographie modeste » : « La géographie est la science des lieux et non celle des hommes. Voilà en vérité l'ancre de salut. » Il conclut en martelant (faisant allusion au livre de Camille Vallaux *Le Sol et l'Etat*, dénoncé comme « ratzélien ») : « *Le sol, non l'Etat : voilà ce que doit retenir le géographe.* » Merci, Monsieur Febvre, de ce précepte lapidaire qui interdit toute réflexion géopolitique aux géographes... pour la réserver aux historiens friands de géo-histoire !

Voilà pourquoi Lucien Febvre ne dit mot de *La France de l'Est* qu'il connaît fort bien, sans aucun doute. D'une part, il aurait eu du mal à disqualifier de tels raisonnements géopolitiques, qui ne sont absolument pas « déterministes » et qui sont tout à fait différents de ceux de Ratzel ; d'autre part, il était difficile de célébrer le père fondateur de la géographie, de mettre en forme (de façon tronquée) son « message » et démolir son dernier livre sans troubler les géographes et compromettre l'opération épistémologique au bénéfice des historiens. Mieux valait ne pas faire allusion à *La France de l'Est*, en se réservant le prétexte de dire à ceux qui pourraient s'étonner de cet « oubli » que « ce n'était pas de la géographie », selon la formule coutumière aux géographes.

Ceux-ci, placidement, ont accepté avec reconnaissance le livre de Febvre, sans guère prendre conscience du subterfuge ni s'étonner de l'escamotage de ce livre capital de Vidal de La Blache : très influencé par Lucien Febvre, André Meynier ne cite pas *La France de l'Est* dans son *Histoire de la pensée géographique en France.*

Toutefois, il ne s'agit pas de seulement mettre en cause la personne de Lucien Febvre — ce fut un très grand historien et un puissant esprit —, ni même *La Terre et l'Evolution humaine*, qui contient des passages fort intéressants et des réflexions que les géographes n'avaient jamais faites jusqu'alors. Si son livre n'avait pas existé, il est probable que les orientations de l'école géographique française n'auraient pas été très différentes. En effet, le poids de cette intervention d'un historien dans l'évolution de l'école géographique française oblige à se demander pourquoi ce ne furent pas des géographes qui menèrent la discussion avec les sociologues. Durkheim avait lancé ses premières critiques vingt ans plus tôt sans que les géographes réagissent. Pourquoi ce silence et cette timidité ? Pourquoi, après la parution du livre de Febvre, les géographes n'ont-ils pas débattu, au moins entre eux, de problèmes théoriques qui avaient été jusqu'alors éludés et qui se trouvaient dès lors, en partie, posés ? Les choses en restèrent là comme si les géographes étaient affectés d'une sorte de carence épistémologique congénitale. Ils ont laissé un historien décider ce que devait être la géographie humaine, quel secteur de la connaissance leur était imparti et dans quel but ils devaient travailler. Jusqu'aux années soixante, le livre de Febvre a été la bible théorique des géographes français, qui y trouvaient leur propre célébration, avec celle de Vidal, et la formulation de principes que le maître n'avait guère explicités. Les géographes ne se sont pas rendu compte (ou, s'ils s'en sont rendu compte, ils n'ont pas réagi) que Lucien Febvre avait laissé de côté, dans son panégyrique, toute une partie, en vérité une partie essentielle, de l'œuvre de Vidal de La Blache. Cependant, il ne faut pas négliger le poids considérable de la corporation des historiens au sein de l'institution universitaire et le rôle dominant qu'elle a dans l'enseignement de l'histoire-géographie de l'enseignement secondaire et dans l'organisation d'un concours tel que l'agrégation. Ils ont favorisé les orientations géographiques qui leur convenaient, soit la géographie physique, qui ne les concurrence absolument pas, soit une géographie humaine qui ne touche pas aux problèmes politiques, la grande affaire des historiens. Tout récemment encore, le grand historien Fernand Braudel, un des champions de la géo-histoire, parlait, à la télévision, sans vergogne, de « la géographie, discipline asservie » ! Peut-être parce que les géographes ont peur de s'assumer.

Les géographes universitaires et le spectre de la géopolitique

Depuis la fin du XIXe siècle, depuis qu'en France existe une corporation des géographes universitaires, celle-ci s'est caractérisée par son souci de conjurer les raisonnements géopolitiques qui avaient été, dans une très grande mesure, durant des siècles, la raison d'être d'une géographie qui n'était pas encore enseignée à des étudiants futurs professeurs, mais à des hommes de guerre et à de grands commis de l'Etat. Par ailleurs, c'étaient ces préoccupations politiques et militaires qui avaient justifié ou rendu possible l'établissement des cartes — énorme tâche — sans lesquelles les géographes universitaires ne pourraient pas dire grand-chose. Mais, de cette géographie étroitement liée à l'action et au pouvoir, les géographes universitaires s'abstinrent à peu près tous de parler et firent comme si elle était morte et enterrée, tout en considérant qu'il fallait exorciser ses éventuelles réapparitions. On pourrait dire que la géopolitique est le spectre qui hante la géographie humaine depuis près d'un siècle, et l'horreur et le dégoût qu'il provoque se manifeste encore aujourd'hui [1]. Mais généralement on n'en prononce pas le nom, comme il vaut mieux faire avec les revenants !

1. Cf. le début de la toute récente préface de Roger Brunet au livre de Claude Raffestin, *Pour une géographie du pouvoir*, 1970 : « On le sent, à maints indices, la vieille et honteuse *Geopolitik* sort des coulisses. Le mot même n'est plus tout à fait tabou ; il réapparaît çà et là. Recrépie, fardée, parée, l'aïeule brèche-dent est poussée en avant, clopinant au bras d'une jouvencelle mal fagotée et usée avant l'âge qui dit s'appeler sociologie ou quelque chose comme ça. Miasmes d'obscurantisme... »

Comment expliquer ce rejet de la géopolitique par les géographes universitaires français ? Dans un premier temps, peut-être par le fait que les géographes proches du gouvernement et de l'état-major étaient d'un milieu social très différent ; c'est peut-être un des aspects de la rivalité des universitaires et des militaires qui caractérise la vie politique et culturelle française, à la différence de celle de l'Allemagne par exemple. Mais cela n'empêchait pas Elisée Reclus, antimilitariste convaincu, de s'intéresser aux questions géopolitiques. Par ailleurs, la notoriété de l'œuvre de Ratzel, puis de l'école de géopolitique allemande raciste et expansionniste a fourni un prétexte au rejet, bien avant Hitler, de tous problèmes géopolitiques par les universitaires français. Ils avaient pourtant de tout autres types de raisonnements géopolitiques avec ceux d'Elisée Reclus, notamment dans *L'Homme et la Terre* (1905) et avec ceux de Vidal de La Blache dans *La France de l'Est*. Mais les géographes universitaires ont voulu ignorer tout cela. Et pourquoi les géographes français continuent-ils d'ignorer aujourd'hui l'œuvre de Reclus [2] ?

Il est difficile de croire que ce soit en raison de ses idées libertaires. Elles ne choqueraient plus grand monde aujourd'hui, du moins en France ; les faits que Reclus avait été un des premiers à dénoncer y sont maintenant considérés quasi unanimement comme des abus et des injustices. Cela ne veut pas dire que les idées de Reclus soient dépassées : sa rigueur morale condamne les discours et les comportements de nombre de ceux qui aujourd'hui se réclament de l'« anarchie » ou de l'« autonomie », comme ils préfèrent dire aujourd'hui. Mais surtout Reclus, qui n'a évidemment pas connu les « victoires du socialisme » en URSS et ailleurs, est particulièrement conscient, à l'avance, des contradictions que nous pouvons constater aujourd'hui dans un si grand nombre d'Etats, entre ce Socialisme et la Liberté. Les positions de Reclus, en tant que communiste libertaire, sont de toute évidence à l'ordre du jour.

Certes, ces aspirations politiques sous-tendent son œuvre de géographe, mais celle-ci peut-être envisagée en tant que telle par des universitaires que le mot d'anarchie effarouche ; Reclus n'y fait d'ailleurs pas allusion dans *L'Homme et la Terre*, pas plus que dans la *Géographie universelle*. Mais, s'il est facile de faire

2. Voir le numéro spécial d'*Hérodote* (n° 22, juillet-septembre 1981), consacré à *Elisée Reclus. Un géographe libertaire*.

abstraction des activités militantes de Reclus, il n'est pas possible de prendre en compte sa géographie en escamotant la place considérable qu'il accorde aux phénomènes politiques. Et je crois que le silence qui continue d'être fait, dans la corporation des géographes universitaires, sur l'œuvre de Reclus résulte principalement aujourd'hui de leur refus d'admettre la géographicité des faits qui relèvent du politique, notamment ceux qui traduisent le rôle des différents appareils d'Etat.

Depuis les années cinquante, les conceptions de la géographicité se sont certes élargies et, si les géographes universitaires prennent en considération problèmes urbains et industriels et évoquent les structures économiques et sociales, ils veulent encore ignorer les problèmes politiques, plus encore les questions militaires, et le mot géopolitique est encore pour eux un véritable spectre qui évoque les entreprises hitlériennes.

En rejetant, notamment à l'instigation des historiens, les préoccupations géopolitiques qui avaient été d'évidence durant des siècles une des raisons d'être de la géographie avant qu'elle soit enseignée dans les universités (surtout pour former des professeurs de lycée), les premiers géographes universitaires ont cru assurer la scientificité d'une discipline nouvelle, et leurs successeurs sont encore persuadés aujourd'hui que faire allusion à un problème géopolitique les disqualifierait en tant que scientifiques. Autant la « vieille » géographie avait été proche des militaires et des chefs d'Etat, autant la géographie universitaire devait s'affirmer désintéressée pour être considérée comme une science.

C'est ainsi que, dans son *Précis de géographie humaine* (1976), Max Derruau analyse « la tradition et les approches nouvelles » qui sont selon lui « l'analyse spatiale, l'approche écologique, l'aspect sociologique, l'approche économique » qu'il étudie successivement. Mais il n'est pas question d'une approche politique et « l'intervention de l'Etat » n'est envisagée qu'au plan économique dans l'« approche » du même nom. Il n'est question de frontière qu'à propos des problèmes douaniers. Il est à noter que cette réduction des problèmes politiques à la seule instance de l'économique est aussi le fait des géographes qui se réfèrent au marxisme ; à telle enseigne qu'ils réduisent, à l'imitation des économistes marxistes, les problèmes de l'impérialisme à celui de « l'échange inégal ».

En 1965, Pierre George, qui a largement contribué à l'extension de la géographicité, publie *La Géographie active* pour montrer ce que peut apporter la géographie à « l'administration des biens et des hommes en cette seconde moitié du XXe siècle ». Ce livre marque une rupture par rapport à la conception d'une géographie désintéressée, purement descriptive et explicative, qui avait prévalu à l'Université depuis le début du XXe siècle. Cette géographie active globale aurait dû logiquement prendre en compte les problèmes géopolitiques. Mais Pierre George les rejette catégoriquement dès le début de l'ouvrage [3] : « La pire caricature de la géographie appliquée de la première moitié du XXe siècle a été la géopolitique, justifiant sur commande n'importe quelle revendication territoriale, n'importe quel pillage par de *pseudo-arguments scientifiques.* » (C'est moi qui souligne ces derniers mots). L'assimilation de toute préoccupation géopolitique avec la géopolitique hitlérienne est ici évidente. Pourtant, on peut objecter que les argumentations qui réfutent cette dernière sont aussi de la géopolitique, tout comme les arguments par lesquels tel ou tel peuple du tiers monde revendique son indépendance et un territoire national. Cette phrase par laquelle Pierre George proscrit les questions géopolitiques, en les rejetant dans une sorte d'enfer scientifique et politique, est particulièrement significative de cette croyance de la corporation des géographes universitaires que l'exclusion de la géopolitique est la condition majeure pour que la géographie soit reconnue en tant que science.

Cette croyance n'a guère été théorisée, mais elle a été plus ou moins ressentie — et elle l'est encore — comme ce que d'autres corporations plus rompues aux discours philosophiques appelleraient une *coupure épistémologique*, pour reprendre la formule de Bachelard, puis d'Althusser. Coupure entre, d'une part, une ancienne géographie dite souvent « préscientifique » qui, étant principalement au service des souverains et des états-

---

3. Il y a quinze ans, Pierre George me fit l'honneur de me demander de participer à *La Géographie active*, et les remarques rétrospectives que je formule concernant ce livre sont tout aussi bien des critiques de ce que j'ai pu écrire dans ce temps-là. Autant cette idée de géographie active me paraît encore plus fondamentale aujourd'hui qu'à l'époque où parut cet ouvrage, autant maintenant il me paraît se caractériser par un oubli assez fondamental : le rôle de l'Etat et les structures politiques par lesquelles s'exerce son autorité. Ainsi, par exemple, il n'est absolument pas question de l'Etat ni dans l'avant-propos ni dans la première partie, « Problèmes, doctrine et méthode », rédigés par Pierre George, pas plus que dans la partie « Perspectives de la géographie active en pays sous-développé » qui est de mon fait. C'est pourtant l'Etat qui organise l'espace et décide des politiques de développement.

majors, se préoccupait de problèmes politiques et militaires, et d'autre part la géographie scientifique universitaire qui apparaît à la fin du XIXe (on ne parlait pas alors de « nouvelle » géographie, mais les universitaires la concevaient comme telle) et qui rejette les problèmes géopolitiques, pour se consacrer à d'autres questions d'une façon désintéressée, objective, comme le fait, dit-on, une vraie science.

Entre les phénomènes qui relèvent du politique, notamment ceux qui sont liés à l'exercice des pouvoirs d'Etat, et ce que je propose d'appeler la *géographie fondamentale* (pour marquer qu'elle est très antérieure à la géographie universitaire et que ses fonctions sont indispensables à l'Etat), les rapports sont primordiaux. Aussi peut-on comprendre que ce qui a poussé la corporation des géographes universitaires à passer systématiquement sous silence les phénomènes politiques l'a, du même coup, placée dès sa formation dans une situation épistémologique très difficile : la corporation rompait avec ce qui avait été d'évidence une des raisons d'être de la géographie, se séparait des cartographes et opérait une réduction considérable du champ de la géographicité, sans trouver d'arguments sérieux pour justifier cette rétraction. Aussi est-il compréhensible qu'elle ait été fort peu pressée de se définir théoriquement, d'autant que ses principaux interlocuteurs, les historiens, étaient fort aises de cette évolution. Qu'en serait-il aujourd'hui de l'Histoire (le discours historien), si dans le courant du XIXe siècle s'était produit un phénomène comparable à ce qui s'est passé pour la géographie universitaire et si les historiens s'étaient mis à passer sous silence les phénomènes politiques ? Quels rapports de causalité devraient-ils évoquer ? Comment justifieraient-ils leurs orientations ?

Les historiens universitaires ont décidé eux aussi au XIXe siècle de se dégager du rôle apologétique ou hagiographique qui avait longtemps été celui de « l'historien du roi » pour écrire une histoire plus impartiale, plus critique (les controverses politiques les y ont aidés, dans une certaine mesure), mais ils n'en ont pas pour autant proscrit ce qui relève du politique, ce qui avait été, durant des siècles, leur raison d'être. Le développement d'une histoire moins dépendante des intérêts des gouvernements s'est accompagné d'un grand élargissement de l'historicité : des phénomènes qui jusqu'alors avaient été jugés trop prosaïques pour être dignes de faire partie de l'Histoire ont été progressivement pris en compte par les historiens.

Pour les géographes universitaires, la répudiation du politique a provoqué une considérable réduction du champ de la géographicité, puisque l'économique et le social ont été « oubliés » en même temps, et ce pour plusieurs décennies. Aussi, dans la mesure où l'on pourrait parler de coupure épistémologique dans l'évolution de la géographie à la fin du XIXe siècle et au début du XXe, on doit constater qu'elle a été particulièrement négative, car la réduction du champ de la géographie humaine ne s'est pas accompagnée d'une analyse plus approfondie des phénomènes auxquels les géographes limitèrent, dès lors, leur intérêt. Alors que, dans l'évolution des diverses disciplines scientifiques, le terme de coupure épistémologique sert à désigner un changement qualitatif progressiste qui permet d'envisager les choses de façon nouvelle et plus efficace, dans l'évolution de la géographie, le changement a été régressif. La meilleure preuve du caractère négatif de ce changement qui proscrit les problèmes géopolitiques est la grande valeur des œuvres que la corporation n'a pas voulu prendre en compte, sans pouvoir dire pourquoi, et qu'elle a préféré oublier assez piteusement : *La France de l'Est* de Vidal de La Blache, et surtout celle d'Elisée Reclus [4].

Les géographes (même les géographes universitaires, dans leur période de géographicité restreinte) prennent en considération des phénomènes qui relèvent de catégories très variées, aussi bien « physiques » qu'« humaines » (chacune d'elles étant le domaine privilégié d'une discipline scientifique), à la condition qu'ils soient *cartographiables*, c'est-à-dire qu'on puisse y reconnaître des différences significatives à la surface du globe. C'est le sens étymologique du mot géographie, et il faut le considérer comme fondamental, puisque c'est le seul avec lequel les géographes de diverses tendances puissent et doivent être d'accord. La géographie privilégie les configurations spatiales particulières de toutes sortes de phénomènes, ceux du moins qui relèvent des différents ordres de grandeur auxquels se réfèrent implicitement les géographes.

Cela étant posé, on ne peut trouver aucune justification théorique à l'exclusion du champ de la géographicité de la catégorie des phénomènes politiques qui sont cartographiables

---

4. « Oubliée » aussi et pour les mêmes raisons une grande partie de l'œuvre de Jean Brunhes (notamment sa *Géographie de l'histoire, Géographie de la paix et de la guerre*, 1921).

(et de surcroît déjà cartographiés, surtout s'il s'agit des frontières) et dont l'importance sociale est, qu'on le veuille ou non, aussi indiscutable. Avec les grandes lignes du relief, ce sont eux qui figurent sur les premières cartes. Cette exclusion du politique (je dis bien *le* politique et non *la* politique) a eu aussi pour effet d'éloigner les géographes universitaires de toute idée d'action et de les couper de cette géographie fondamentale qui est pour l'essentiel une géographie active avant la lettre et qui a continué de se développer, y compris la cartographie, en dehors des structures universitaires, dans des organismes dépendant directement de l'appareil d'Etat.

Comment expliquer ce principe de l'exclusion du politique, principe non dit, mais quasi statutaire tant il est systématique, sur lequel se fonde la géographie universitaire française ? Pourquoi cette hantise de la géopolitique ? Elle ne s'est pas seulement manifestée en France, mais aussi dans différentes « écoles » de géographie (plus ou moins influencées par les géographes français) qui y ont vu elles aussi un critère de scientificité. En URSS, la hantise de la géopolitique assimilée exclusivement d'abord au pangermanisme puis à l'hitlérisme est telle qu'elle est la cause majeure de la quasi-inexistence de la géographie humaine dans le système universitaire. Mais il faut tenir compte de l'obsession du secret cartographique dont font montre les dirigeants soviétiques (et ceux de la plupart des autres Etats communistes), qui réservent toutes les cartes (sauf celles à très petite échelle) aux cadres du parti, de l'armée et de la police, sous prétexte d'en empêcher la communication aux impérialistes, lesquels, depuis les photographies de satellites, ont plus d'informations qu'il ne leur en faut. Les causes de ce black-out sur les cartes et le blocage de la géographie humaine et régionale universitaire, en URSS, sont évidemment à chercher dans des raisons de politique intérieure.

Bien sûr, il n'en est pas de même en France, et le silence des géographes universitaires français, quant aux phénomènes politiques, ne peut s'expliquer par la raison d'Etat. Ses dirigeants ont d'ailleurs souvent fait appel à de grands géographes universitaires, et l'on doit s'étonner qu'un courant de réflexion géopolitique ne se soit pas développé, à la suite de *La France de l'Est*, dans l'école géographique française, pour répondre à la géopolitique allemande.

En 1918, par exemple, à la Conférence de la paix, Georges Clemenceau s'entoura d'une pléiade de géographes dirigée par

Emmanuel de Martonne pour discuter du tracé des frontières en Europe centrale et dans les Balkans. Les travaux de ces géographes furent publiés (*Questions européennes*, 2 vol., Imprimerie nationale, Paris, 1919), mais la corporation préféra ignorer ces travaux.

Pour expliquer l'orientation prise par la géographie universitaire, j'ai attiré l'attention, à propos de *La France de l'Est*, sur le rôle de la corporation des historiens, soucieuse de se réserver le discours sur le politique et fort puissante au sein des facultés des lettres où elle fut suzeraine, dans une certaine mesure, de celle des géographes. Il ne faut cependant pas surestimer le poids de ces rivalités corporatistes, et, si les géographes avaient vraiment voulu traiter des questions géopolitiques, ils pouvaient bien entendu le faire. Peut-on expliquer leur refus de ces problèmes par le fait que leur corporation a eu longtemps surtout à former de futurs professeurs d'« histoire et géographie », par le fait que le discours de la géographie universitaire est, dans une grande mesure, de type pédagogique ? Mais, encore une fois, les historiens n'en ont pas pour autant abandonné le politique, bien au contraire !

Bref, au point où j'en suis de cette réflexion, je n'arrive pas à trouver d'explication rationnelle à ce rejet des problèmes géopolitiques par les géographes universitaires, et j'en viens à me demander si une telle attitude ne relève pas, dans une grande mesure, de l'irrationnel ou de l'inconscient : Bachelard n'a-t-il pas montré qu'il fallait en tenir compte dans certaines orientations épistémologiques ? Les géographes sont dans le fond très attachés à l'idée d'une géographie qui serait une sorte de sagesse, une géosophie, et qu'ils seraient les oracles d'une organisation plus harmonieuse de l'espace social, dans l'intérêt général. Tout géographe se croit un peu démiurge, et c'est pourquoi ce métier (c'est bien plus qu'un métier) lui apporte tant.

J'ai évoqué ci-dessus les géographes et le spectre de la géopolitique. Cela peut paraître un effet de style un peu excessif, mais, plus j'y réfléchis, plus l'image du spectre me paraît la plus appropriée dans ce quelle exprime de dégoût (« ce n'est pas scientifique »), de crainte (Hitler !), d'irrationnel, au point que l'on ne veut en parler, ni le nommer.

Certes, la plupart des géographes semblent seulement ignorer les questions géopolitiques, mais il suffit qu'ils aient à juger d'un ouvrage qui en traite, en rapport avec leur discipline, pour que se manifestent leur refus et leur hostilité, sans qu'ils puissent les justifier par un raisonnement théorique. Je me demande, mais de façon encore très floue, si ce n'est pas parce que la prise en compte de ces problèmes, qui ne sont pas seulement ceux de la guerre, mais qui font toujours apparaître le rôle des dirigeants de l'Etat dans l'organisation de l'espace, obligerait les géographes à renoncer au rôle de démiurge qu'ils s'attribuent plus ou moins consciemment, quelles que soient leurs tendances idéologiques. A force d'examiner des cartes à petite échelle, ce qui équivaut à voir la terre de très haut, à force de raconter les étapes du soulèvement des montagnes, à force d'analyser la beauté des paysages et de justifier l'inégale influence des villes, on est près de se sentir maître de ce qu'on explique.

Les géographes ne parlent-ils pas d'« organisation de l'espace », même lorsqu'ils traitent de géographie physique, lorsqu'ils rendent compte de la disposition des montagnes, du tracé des grands axes du réseau hydrographique — à plus forte raison lorsqu'ils expliquent le contraste entre des espaces abandonnés et des régions fortement peuplées ? Mais qui *organise* ? Est-ce la Nature ? Dieu ? Ou bien n'est-ce pas le géographe qui met de l'ordre dans le compact enchevêtrement des phénomènes et met en lumière l'obscur jeu de forces qu'il est seul à comprendre, au terme de sa recherche ? Cette sensation de puissance ne se brise-t-elle pas lorsqu'il faut analyser comment l'espace est effectivement (et non plus métaphoriquement) conquis, organisé ou réorganisé sur les injonctions plus ou moins logiques de tel chef d'Etat ? A moins que, fait assez exceptionnel, le géographe n'ait des raisons de s'identifier à lui ou à la cause qu'il prétend incarner ; en revanche, l'identification rétrospective au Prince est classique chez les historiens. Ce sont des motivations politiques puissantes, l'horreur de l'oppression ou l'amour de la patrie qui ont incité des hommes comme Reclus et Vidal à analyser ce que les autres géographes refusent de voir, sans trop savoir pourquoi. N'est-ce pas parce que le géographe tend à se sentir maître du monde qu'il a cette répugnance à prendre en compte le rôle de ceux qui l'organisent et se le disputent ?

Pour qu'un géographe surmonte cette répulsion plus ou moins instinctive à l'égard des questions géopolitiques et se décide à en faire le thème d'un ouvrage majeur, il faut des motivations puissantes, une pulsion qui l'emporte sur la jouissance [5] qu'il a presque à jouer à Dieu. Ce fut le cas pour Elisée Reclus, notamment quand il écrivit *L'Homme et la Terre*, et pour Vidal de La Blache quand il rédigea en hâte *La France de l'Est*. On peut certes opposer à bien des égards ces deux grands géographes (qui furent d'ailleurs presque contemporains). En revanche, si nous considérons ces deux livres, qui sont pour chacun l'œuvre ultime et majeure, on constate qu'ils traduisent l'un comme l'autre une conception exceptionnellement large de la géographicité et une grande préoccupation des structures économiques et sociales et des problèmes géopolitiques. Certes, Reclus était un communiste libertaire et Vidal un conservateur patriote, mais, ce qui nous intéresse ici, c'est leur conception de la géographie et son rapport avec leurs préoccupations politiques. L'un comme l'autre combat un adversaire et luttent pour une cause : Reclus dénonce l'injustice et l'oppression sous toutes ses formes et dans tous les pays ; Vidal démontre que l'Alsace et la Lorraine doivent redevenir françaises. Des enjeux que l'on peut considérer comme très différents, mais dira-t-on que l'engagement sentimental de l'un et de l'autre était très dissemblable, quand on sait que Vidal écrivit *La France de l'Est* en 1916 alors que son fils, lui-même géographe, venait d'être tué sur le front ? C'est la cause à plaider qui amène Reclus à inventer cette géographie militante, en réunissant et en organisant, seul, une énorme documentation. C'est la cause à plaider qui oblige Vidal à passer outre au tabou géopolitique et à briser les limites de la géographie qu'il considérait digne du discours universitaire, pour mobiliser tous les arguments. Enfin, dernières ressemblances entre Reclus et ce Vidal-là, leur rejet par la corporation durant des décennies.

Si l'escamotage du Vidal de *La France de l'Est* est déjà étonnant, l'oubli quasi total de l'œuvre de Reclus, jusqu'au milieu des années soixante-dix l'est encore plus, si l'on tient compte de la diffusion croissante des idées « de gauche » dans l'université française, après la Seconde Guerre mondiale. Que les idées de l'anarchiste Reclus aient pu effaroucher autrefois les milieux « bien pensants », passe encore (cela n'empêcha pourtant pas le succès de son œuvre chez les gens cultivés), mais que la corporation des géographes, où des hommes de gauche

5. Humboldt évoque d'ailleurs cette « jouissance » dans l'introduction de sa grande œuvre, *Le Cosmos*.

jouèrent un rôle non négligeable à partir des années cinquante, ait continué d'ignorer Reclus, voilà qui est tout à fait étonnant ! C'est en effet à partir de cette époque que des géographes, plus ou moins influencés par le marxisme, commencèrent à élargir le champ de la géographicité et à prendre en compte les problèmes économiques et sociaux. Comment se fait-il que Reclus n'ait pas été redécouvert en même temps ?

Si Reclus avait été un marxiste ou s'il avait pu être présenté, à l'instar de bien d'autres penseurs, comme un précurseur lointain du marxisme, il est probable qu'on l'aurait alors redécouvert : des morceaux choisis de *L'Homme et la Terre* auraient été publiés pour attirer l'attention sur cette grande œuvre progressiste qui accorde une si grande importance aux luttes de classes et aux combats pour la liberté. Mais Reclus fut non seulement un contemporain de Marx, mais aussi un de ses adversaires ; ils s'affrontèrent à plusieurs reprises dans les congrès socialistes. Et, surtout, Reclus est un communiste libertaire et les critiques qu'il fit de certains points de la pensée de Marx apparaissent encore plus fondées aujourd'hui — notamment les critiques à l'encontre des partis communistes qui ont pris le pouvoir, et qui l'exercent avec les moyens que l'on ne peut plus ignorer maintenant.

Il est de plus en plus nécessaire que les géographes se soucient des problèmes politiques et militaires, et retrouvent ainsi ce qui a été durant des siècles une des raisons d'être fondamentale de leur savoir. En effet, la faillite des représentations idéologiques du monde, basée sur l'opposition des valeurs du socialisme à celles du capitalisme, fait que le terme de géopolitique est en train de devenir un maître mot des analyses politiques, et pas seulement dans les médias. Mais les raisonnements, qu'il recouvre d'une assurance pseudo-scientifique, apparaissent, pour la plupart, d'un simplisme consternant si on les confronte à la complexité des situations géographiques ; ils ont aussi l'inconvénient de prétendre s'imposer comme des évidences planétaires et surtout comme des fatalités devant lesquelles on ne pourrait rien. Ces prétendus impératifs ou évidences géopoligiques sont des raisonnements dangereux, car ils ne manipulent pas seulement l'opinion, mais aussi ceux qui la dirigent. Il est donc de plus en plus nécessaire de montrer la complexité des situations, de souligner qu'il est simpliste, inefficace et dangereux de prétendre que le monde soit divisé en quelques très grandes entités manichéennes, comme le laissent croire les discours sur les rapports Nord-Sud et les conflits Est-Ouest. Les géographes doivent faire la critique de ces allégories spatiales d'envergure planétaire et montrer que, pour avoir une représentation du monde plus efficace, il faut tenir compte des différents niveaux d'analyse et, à chacun d'eux, de la complexité des intersections entre de multiples ensembles spatiaux. Voilà la tâche des géographes !

Marx et l'espace « négligé »

L'institutionnalisation de la géographie des professeurs en tant que discours pédagogique « inutile » systématiquement dépolitisé n'a pas favorisé le développement de la vigilance à l'égard des géographes. Et pourtant elle n'en était que plus nécessaire. Comment les historiens et tous ceux qui sont confrontés au problème de l'Etat ne se sont-ils pas rendu compte que la géographie appréhende, elle aussi, l'Etat et par une de ces caractéristiques essentielles, sa structure spatiale, son étendue, ses frontières ? En fait, il semble bien que ce silence complice qui continue d'entourer la géographie, dont on utilise de nombreux clichés et arguments, pose un problème beaucoup plus profond encore.

La géographie est une représentation du monde. Mais on n'en parle pas dans les milieux qui sont pourtant soucieux de débusquer toutes les mystifications et de dénoncer toutes les aliénations. Les philosophes, qui ont tant écrit pour juger de la validité des sciences, et qui explorent aujourd'hui l'archéologie du savoir, gardent encore à l'égard de la géographie un silence total, alors que cette discipline aurait dû plus que toute autre attirer leur critique. Indifférence ? Absence de débat à arbitrer chez les géographes ? Ne serait-ce pas plutôt inconsciente connivence ?

Il est évidemment inutile de souligner l'importance des transformations que le marxisme a provoquées en histoire, en économie politique et dans les autres sciences sociales. Il a apporté non seulement une problématique et un outillage conceptuel, mais il a aussi déterminé dans une grande mesure le développement de cette polémique épistémologique et de cette vigilance, quant aux travaux des historiens et des économistes ; cette polémique et cette vigilance se sont manifestées d'abord en dehors de l'Université, dans les milieux les plus politisés, et aussi par la suite à l'intérieur du monde universitaire. Or, jusqu'aux années soixante, les marxistes ne se sont guère souciés de la géographie ; bien qu'il s'agisse d'un savoir dont la signification économique, sociale et politique est considérable. Evidemment, si l'on considère, comme en URSS, que la géographie relève pour l'essentiel des sciences naturelles, la faiblesse, sinon l'absence de ses rapports avec le marxisme ne poserait pas tellement de problèmes. Mais qu'elle soit discours mystificateur dont la fonction est considérable, ou savoir stratégique dont le rôle n'est pas moins grand, la géographie a pour objet les pratiques sociales (politiques, militaires, économiques, idéologiques...) *par rapport* à l'espace terrestre.

La faiblesse du rôle de l'analyse marxiste en géographie n'en est que plus surprenante. Il faut d'abord constater le silence, le « blanc » à l'égard des problèmes spatiaux qui caractérise l'œuvre de Marx. Evidemment, une telle constatation ne manque pas de provoquer une levée de boucliers pour le défendre : très rares sont ceux qui disent que la géographie est chose trop dérisoire pour que Marx s'y soit intéressé. Il a parlé de temps à autre des problèmes d'espace, dans les œuvres de jeunesse, jusqu'au *Grundrisse*, et surtout dans ses écrits qui portent sur des questions militaires (ce qui est une preuve de plus de la fonction stratégique de la géographie ; à cet égard, toujours à propos des questions militaires, les réflexions géographiques de Mao Tsé-toung sont particulièrement importantes). Il a été aussi particulièrement attentif aux problèmes de rapport ville-campagne, mais en négligeant une grande partie des problèmes géographiques. Il fait souvent référence à la Nature (et Engels plus encore), mais là encore en évacuant totalement la dimension spatiale. Le peu de préoccupation dont Marx témoigne à l'égard des problèmes spatiaux disparaît avec la formalisation définitive de la critique de l'économie politique, telle qu'elle apparaît dans le premier tome du *Capital.* Autant Marx organise son raisonnement par référence constante au temps, et l'histoire s'en est trouvée réorganisée, autant il se montre indifférent aux problèmes de l'espace. Pourtant, en tant que philosophe et fortement influencé par Hegel, il ne pouvait qu'être conscient des rapports étroits qui existent entre le temps et l'espace.

Ce qui frappe, ce n'est pas l'absence d'intérêt de Marx pour les problèmes géographiques, c'est la disjonction entre ses textes théoriques les plus achevés, *Le Capital* en premier lieu, et ses textes, plus circonstanciels, militaires ou politico-stratégiques. Ce qui frappe, au sein même des textes les plus achevés, ce n'est pas tant l'absence d'intérêt pour les problèmes géographiques que l'irruption dans une problématique globalement a-spatiale de raisonnements géographiques, grossièrement déterministes.

La tradition marxiste héritera de cette dualité : Plekhanov abuse de l'argument géographique. Lénine, Trotsky, Mao Tsé-toung, confrontés aux problèmes de la guerre révolutionnaire et aux tâches de gouvernement, exploiteront les percées théoriques de Marx dans le champ de la pensée stratégique (ils compléteront d'ailleurs leur bagage conceptuel par la lecture de Clausewitz). Enfin, l'économie politique marxiste reprendra les schémas a-spatiaux du *Capital*, quitte, tout récemment, à se précipiter sur les métaphores spatiales les plus glissantes, comme « centre » et « périphérie ».

Mettons à part Rosa Luxemburg et Gramsci, dont l'ensemble des textes (pas seulement politico-stratégiques) font référence à une problématique spatiale : critique du livre II et question nationale pour Luxemburg, héritage de la philosophie de l'histoire italienne, rapports entre Etat, territoire, domination et hégémonie à travers l'histoire de l'unité nationale italienne pour Gramsci. Aussi faut-il s'interroger sur la responsabilité du stalinisme dans cette stérilisation de la pensée marxiste.

Le silence de Marx quant à la géographie est d'autant plus difficile à expliquer qu'à l'époque où il écrit les problèmes spatiaux sont déjà au premier plan des préoccupations politiques des militaires prussiens et des industriels de la Ruhr, que la géographie en tant que représentation rationnelle du monde a déjà pris son essor à l'Université de Berlin, dont elle est un des plus beaux fleurons, et que le système capitaliste s'organise à l'échelle internationale en dominant des formations sociales extrêmement différentes, selon les pays.

Après lui, ses continuateurs ne manqueront pas d'étudier le développement du capitalisme, non seulement au « centre », mais aussi à la « périphérie ». Mais ces allégories spatiales ne sont pas sans danger et risquent de favoriser le dérapage du raisonnement.

Le peu d'intérêt dont Marx fait montre à l'égard des problèmes géographiques a aujourd'hui encore de graves conséquences. Pour les marxistes, l'essentiel de l'argumentation politique, qu'il s'agisse de problèmes régionaux, nationaux ou internationaux, se définit par rapport au temps, s'exprime en termes historiques, mais elle ne fait que très rarement référence à l'espace, et encore d'une façon très allusive et négligente. C'est pourtant l'espace qui est le domaine stratégique par excellence, le lieu, le terrain où s'affrontent les forces en présence et où se déroulent les luttes actuelles.

Symptômes des difficultés du marxisme en géographie

Cependant le rôle de l'analyse marxiste en géographie ne doit pas seulement s'apprécier en fonction du contenu de l'œuvre de Marx et de ceux qui ont été ses continuateurs — la géographie n'était évidemment pas leur propos essentiel —, ni en fonction de l'argumentation des militants qu'ils inspirent ; il faut aussi examiner la pratique actuelle des géographes « de gauche » : ils ont été longtemps sous l'influence véritablement hégémonique de l'héritage vidalien ; mais, depuis la Seconde Guerre mondiale, il y a à l'Université un nombre croissant de géographes, encore que très minoritaire, à être plus ou moins fortement influencés par la pensée marxiste : quelques-uns d'entre eux jouent un rôle scientifique éminent. Cependant, en géographie, l'influence marxiste semble encore nettement moins forte que dans certaines disciplines telles que la philosophie, l'histoire, la sociologie, l'économie politique, où existent depuis relativement longtemps de véritables écoles marxistes, connues, brillantes, même lorsqu'elles correspondent à un petit nombre de personnes.

Or, aujourd'hui encore, on est bien obligé de constater que, s'il y a des marxistes parmi les géographes, il n'existe pas encore véritablement une géographie marxiste. Peut-être est-elle sur le point d'apparaître ? Mais, parmi les sciences sociales, la géographie est le secteur où l'analyse marxiste a le plus de mal à se développer. Evidemment, à la différence des spécialistes d'autres disciplines, qui trouvent dans les œuvres des grands théoriciens du marxisme matière à de nombreuses citations, à d'amples commentaires, à de multiples réflexions polémiques et exégèses, les géographes marxistes n'ont pas beaucoup de citations illustres dont ils puissent s'inspirer !

Cependant, durant environ deux décennies, les géographes « de gauche » ont pu se considérer comme les seuls à dépasser et à contester les limites de la géographie vidalienne. Ils furent les premiers à refuser la coupure qu'elle établissait du côté des sciences sociales, et à aborder l'étude des phénomènes urbains et industriels ; mais aucun d'eux ne fit alors explicitement référence aux thèses marxistes. Ils ne sont plus les seuls aujourd'hui à dépasser la géographie vidalienne. En effet, depuis quelques années, s'est développé non sans succès, parmi les géographes universitaires, un courant néo-libéral, moderniste, fortement inspiré par la sociologie anglo-saxonne et par des méthodes quantitativistes, mises en œuvre par les géographes américains. Autant la géographie vidalienne refusait le contact avec les sciences sociales, autant les partisans de cette « New Geography » s'y complaisent, et ce faisant ils enlèvent aux géographes influencés par le marxisme le sentiment sécurisant d'être les seuls à pouvoir invoquer le rôle des facteurs économiques, sociaux et politiques.

Un des plus anciens symptômes des difficultés des « géographes marxistes » a été l'orientation de quelques-uns, et non des moindres, vers l'étude quasiment exclusive des problèmes de géographie physique et tout particulièrement de géomorphologie, qui bien évidemment ne peuvent guère relever d'une problématique marxiste. Ces géographes ont peu à peu abandonné l'étude des problèmes humains qui auraient dû pourtant les retenir compte tenu de leurs idées politiques. C'est ainsi que Jean Dresch, dont l'action anticolonialiste fut grande, qui établit en 1945 avec Michel Leiris le rapport sur le travail forcé en AOF et qui amorça dans les années cinquante toute une série de recherches très importantes en géographie humaine (sur la géographie des capitaux dans les pays coloniaux), consacre ensuite l'essentiel de son activité à la géomorphologie. Certes, pour nombre de chercheurs dans les sciences exactes physiques et naturelles le marxisme détermine leurs opinions et leur pratique politiques, mais non point leur problématique scientifique. Il en est autrement pour les sciences sociales, où problématique politique et pratique scientifique sont étroitement liées. Symptomatique, le glissement de géographes marxistes qui abandonnent la conception unitaire de la géographie (l'appréhension des phénomènes physiques en fonction de la pratique sociale) et se consacrent, soit à l'analyse exclusive des formes du relief considérées pour elles-mêmes, soit à la reproduction des discours des économistes et des sociologues, en les spatialisant quelque peu, et encore...

Une autre difficulté, plus répandue, de l'analyse marxiste en géographie se manifeste dans de nombreux travaux qui relèvent principalement de la géographie humaine : ils se caractérisent par la très large place occupée par une réflexion historique axée sur l'analyse des rapports de production et des luttes de classes. Ce discours de type marxiste, et qui n'est pas nécessairement original, est superposé souvent purement et simplement à un discours de géographie tout à fait classique : l'analyse marxiste des problèmes spatiaux est éludée pour un discours qui relève en fait de l'histoire ou de l'économie politique. Cette déviation, en quelque sorte, vers la reproduction de discours qui sont mieux construits et dont la signification politique est plus claire, pose, à bien y réfléchir, le problème de la responsabilité des géographes ; surtout ceux qui, se référant au marxisme, devraient considérer de leur devoir de participer aux luttes sociales de la façon la plus efficace. A noter que cette place importante qu'occupe le discours historique au sein du discours géographique n'est évidemment pas spécifique des géographes d'influence marxiste. Dans la mesure où les géographes se sont rendu compte que la situation qu'ils décrivent est le résultat de toute une série d'évolutions qui se combinent (celle des formes de relief, celle du peuplement, celle des diverses activités économiques...), la démarche historique prend inévitablement une grande place dans l'explication géographique.

Mais ces explications historiques tendent à devenir une fin en soi, dans la mesure où les géographes, marxistes ou non, se sont coupés de toute pratique.

Au fond, en reproduisant, à la suite ou à la place d'un discours de géographie du type vidalien, un autre discours de type histoire-sciences sociales, la plupart des géographes d'influence marxiste ne se soucient pas tellement de savoir si ce qu'ils font est bien « de la géographie » ; sans doute pensent-ils que leur explication bien qu'elle soit plus ou moins « géographique » est l'occasion de faire référence au marxisme et que cela n'est pas sans utilité, surtout dans un milieu aussi « dépolitisé » que celui de la géographie où l'on se pose encore aujourd'hui beaucoup moins de problèmes que dans d'autres disciplines (qu'il s'agisse des étudiants ou des enseignants).

Toutefois cette déviation des géographes d'influence marxiste vers la reproduction d'un discours histoire-sciences sociales a un double inconvénient : d'une part, ce discours historique ne met pas clairement en cause le discours de la géographie vidalienne, il vient plutôt le compléter, le couronner, et, par là, il lui permet de continuer à fonctionner en tant que moyen de blocage et de mystification ; d'autre part, ce discours historien permet de continuer d'éluder les problèmes théoriques qu'il faut poser en géographie. Cela contribue à entretenir dans de larges milieux l'idée d'une géographie, discours pédagogique « inutile » mais sans danger.

Débuts d'une géographie marxiste ou fin de la géographie ?

En vérité le développement d'une géographie qui puisse être essentiellement et spécifiquement marxiste se heurte à des difficultés épistémologiques fondamentales. En effet le raisonnement géographique se fonde sur la prise en compte de multiples *ensembles spatiaux* relevant de diverses catégories scientifiques (géologie, climatologie, démographie, économie, sociologie, etc.), alors que le raisonnement marxiste, qui se fonde lui aussi sur des ensembles, privilégie systématiquement ceux que l'on peut former en fonction des différents rapports de production entre les hommes.

Or ces ensembles, prolétariat et capitaliste, bourgeois et féodaux, petits paysans ou paysans sans terre et grands propriétaires fonciers, sont difficilement cartographiables. Certes on peut aisément faire la carte des structures agraires dans telle ou telle contrée, mais elle n'explique pas complètement la situation dans laquelle se trouvent les paysans. Il faut aussi tenir compte des conditions climatiques, pédologiques, topographiques qui ne relèvent pas fondamentalement de l'analyse des marxistes et que ceux-ci tendent à négliger au profit de l'étude des rapports de production. Ces derniers sont évidemment fondamentaux mais, contrairement à la tendance des marxistes qui réduisent à l'Economique les caractéristiques et les contradictions des diverses sociétés, on ne peut réduire les problèmes politiques et notamment les problèmes de pouvoir aux modalités d'appropriation des moyens de production.

Les géographes marxistes ont surtout donné leur mesure dans l'analyse des problèmes urbains ; les phénomènes de ségrégation sociale, d'appropriation des terrains, de contradiction entre l'intérêt collectif et les appétits privés relèvent en effet de façon particulièrement claire et simple de la problématique marxiste. Elle a fait ses preuves dans ce domaine.

Cependant, si importante qu'elle puisse être, l'analyse marxiste des phénomènes urbains ne peut tenir lieu à elle seule de géographie marxiste. D'abord, ces recherches peuvent à juste titre être surtout revendiquées par les urbanistes et les sociologues. Il ne s'agit certes pas de faire du corporatisme universitaire, mais ce n'est pas le moyen de faire avancer par la critique les problèmes des géographes que d'imputer à leur crédit des recherches qui en fait relèvent d'autres disciplines dont le statut épistémologique est beaucoup plus avancé que celui de la géographie.

D'autre part, les géographes d'influence marxiste ne sont pas les seuls à étudier les problèmes urbains. D'autres géographes, comme d'autres sociologues, comme d'autres économistes, qui ne relèvent absolument pas du marxisme et qui ne cherchent même pas à paraître « de gauche », mènent aussi cette analyse des diverses formes de la crise urbaine, sans se référer systématiquement aux contradictions du système capitaliste, sans appeler à sa destruction, ils parlent eux aussi de « domination », de ségrégation sociale, etc. De ces géographes, les marxistes diront qu'ils sont « inconséquents »... Quoi qu'il en soit, il est clair que l'analyse des problèmes urbains relève dans une grande mesure d'un outillage conceptuel marxiste ou marxien.

Aussi bon nombre de marxistes géographes, ceux-là mêmes qui sont engagés dans de brillantes analyses des phénomènes urbains, estiment qu'il suffit de mettre en œuvre l'appareil conceptuel du marxisme dans l'étude de tout ce qui relève des villes pour avoir la base d'une géographie marxiste. Les agglomérations urbaines ne paraissent-elles pas devoir rassembler des effectifs humains de plus en plus nombreux et majoritaires ? Les villes n'exercent-elles pas un rôle de polarisation et de structuration sur les espaces ruraux, où les influences urbaines sont de plus en plus fortes ? Ces géographes considèrent d'autant plus qu'ils détiennent enfin la base d'une géographie marxiste, qu'ils peuvent se référer à de nombreux textes « de base », ceux que Marx a consacrés aux problèmes fonciers, aux villes, aux rapports de la ville et de la campagne qui sont à l'origine du système capitaliste.

Cette position des géographes marxistes qui estiment qu'il n'y aurait plus de questions théoriques fondamentales à débattre, dès lors qu'on se réfère de façon méthodique au marxisme, ne manque pas de poser certains problèmes.

Tout d'abord, malgré le rôle croissant des villes dans la vie économique et sociale et dans l'organisation de l'espace, la géographie doit prendre en considération bien d'autres espaces que ceux de la ville ou que ceux que l'on peut valablement considérer comme structurés par un réseau de villes. Il faut analyser la diversité des espaces ruraux où les conditions naturelles et les facteurs culturels sont très importants. Dans ce vaste domaine, les méthodes de l'analyse urbaine ne sont pas opératoires. L'étude géographique des phénomènes urbains, même menée à différents niveaux d'analyse, ne semble donc pouvoir constituer qu'une partie seulement de la géographie, surtout si on la considère comme savoir stratégique ou analyse scientifique, qu'elle relève ou non du marxisme. Ce n'est pas *seulement* en transférant, en extrapolant la problématique qui rend compte, efficacement, des structures économiques et sociales qu'on avancera dans les méthodes de l'analyse de l'espace, qui posent encore de graves problèmes, difficiles à cerner convenablement.

D'autre part, considérer que l'analyse marxiste des faits urbains constitue la base d'une géographie marxiste pose un autre problème : en effet, les géographes, influencés ou non par le marxisme, sont venus tardivement à l'étude urbaine, et ils sont loin d'être les seuls à s'en occuper. Les sociologues et les urbanistes sont autrement plus nombreux, et même les économistes se mettent à l'économie urbaine. Les géographes semblent se diluer dans cet ensemble de sciences sociales, sans même pouvoir prétendre être les spécialistes de l'analyse spatiale, puisque les urbanistes dressent et dessinent force cartes et plans, ce que la plupart des géographes ne savent pas faire, faute de pratique.

Les sociologues jonglent avec la « production » des multiples espaces sociaux et mentaux, les économistes font de l'économie spatiale, les historiens font de la géo-histoire, tandis que les écologistes s'emparent des relations hommes-nature.

Pour beaucoup de géographes universitaires, la prise en main des problèmes spatiaux par des disciplines plus brillantes, plus influentes, plus à la mode est la cause principale et la manifestation majeure de la crise de la géographie. Cependant ces disciplines « rivales » qui « touchent » au domaine des géographes traitent des problèmes qu'ils n'avaient guère abordés jusqu'alors.

Cette dilution, en fait cette disparition, de la géographie, certains géographes l'acceptent en pratique, sinon explicitement, et, surtout pour les études urbaines, ils glissent vers la sociologie au nom de l'« interdisciplinarité ». Celle-ci a certes les avantages qui sont tant vantés, mais elle présente l'inconvénient, surtout pour des disciplines comme la géographie dont le statut épistémologique est flou, de constituer un excellent alibi pour éluder encore des problèmes théoriques qui leur sont spécifiques.

Bon nombre de géographes marxistes, de tendances que l'on dira plus ou moins « gauchistes », affirment que géographie, sociologie, économie, histoire, etc., ne sont que des étiquettes universitaires et souhaitent leur disparition, pour que se réalise enfin une synthèse des sciences sociales qui ne pourrait être, selon eux, que fortement influencée par le marxisme, sinon placée sous son égide...

S'ils jugent utile de liquider la géographie sur l'autel de l'interdisciplinarité, ils devraient se rendre compte que l'ouverture sur les sciences sociales n'est plus l'apanage des géographes marxistes, et surtout que l'analyse des différentes formes de la crise urbaine, des taudis, des formes de ségrégation, des accaparements fonciers, de la pollution, n'est plus seulement le fait de géographes marxistes soucieux de dénoncer les tares du système capitaliste et d'en démasquer le fonctionnement.

Le destin de la géographie universitaire serait-il donc de disparaître par dilution dans un ensemble de sciences sociales dont les géographes se sont si longtemps et si fâcheusement tenus à l'écart ? Marxistes ou pas, ils viendraient se joindre aux sociologues, aux économistes, aux urbanistes, etc., dans le grand chœur des discours sur l'espace.

Cette crise de la géographie ne serait-elle rien d'autre que l'annonce d'un « aggiornamento » qui mettrait fin à un vieux découpage universitaire et à une discipline qui ne se serait individualisée qu'en raison des conditions culturelles particulières de quelques pays européens à la fin du XIXe siècle ?

Ne resterait de la crise de la géographie que le ras le bol des lycées ? Qu'à cela ne tienne, des ministres friands de « réforme » et de « changement » ont déjà eu vite fait de substituer le discours des sciences sociales à celui de cette géographie que d'aucuns considèrent comme une preuve de l'archaïsme de l'enseignement secondaire français.

Pourtant la géographie ne paraît pas prête à disparaître en tant que discipline universitaire et scientifique : elle se développe fortement depuis peu dans des pays où elle n'avait guère eu d'importance jusqu'alors, comme discipline d'enseignement. Autant le discours des géographes universitaires a été longtemps coupé de toute pratique, autant ce nouvel essor de la géographie est étroitement lié à des recherches « appliquées » et à des considérations plus ou moins explicitement stratégiques.

Du développement de la géographie appliquée à la « New Geography »

Surtout en France et en Allemagne (et dans d'autres pays qui ont subi l'influence culturelle française ou allemande), la géographie figure depuis la fin du XIXe siècle dans le programme des lycées et occupe une place notable dans les universités, où la formation des professeurs du secondaire reste encore sa fonction principale. Dans d'autres pays, aux Etats-Unis en particulier, la géographie, faute de débouchés dans le secondaire, n'avait guère d'existence universitaire jusqu'à une époque récente. En revanche, des « sociétés de géographie » y sont très actives ; souvent présidées, comme la « National Geographic Society », par des PDG de grandes firmes ou par des amiraux en retraite, elles diffusent depuis longtemps des revues très bien illustrées. Aux Etats-Unis, le *National Geographic Magazine* tire à dix millions d'exemplaires. C'est la troisième revue américaine.

Mais, depuis quelques décennies, la recherche en géographie se développe rapidement aux Etats-Unis avec des moyens assez considérables, soit dans des organismes universitaires soit dans le cadre d'autres structures. En effet cette géographie qui n'est pas liée au fonctionnement d'une machine à fabriquer des professeurs apparaît de plus en plus utile à ceux qui sont à la tête des grandes firmes et de l'appareil d'Etat. Car ce sont eux non seulement qui proposent les contrats de recherche, mais accordent les moyens matériels et les facilités d'accès à des renseignements confidentiels. A la différence de la géographie universitaire dont les recherches comme l'enseignement ont été conçus comme un savoir pour le savoir, radicalement coupé de toute pratique, les recherches de géographie « appliquée » sont conduites en fonction d'objectifs économiques, sociaux, urbanistiques, militaires plus ou moins explicites, soit pour proposer une solution technique plus ou moins partielle, soit pour fournir des informations qui permettront d'envisager une action.

Aux Etats-Unis les recherches de géographie « appliquée » se sont développées d'abord dans le prolongement des études de marché réalisées par les économistes, qui furent conduits, pour des raisons d'efficacité, à appréhender la dimension spatiale, facteur évidemment essentiel aux Etats-Unis. Très tôt s'est imposée l'idée qu'il fallait analyser les zones d'influence des grandes villes et le rayonnement des services implantés dans chacune d'elle. D'autre part des opérations de développement régional, comme celui de la célèbre Tennessee Valley Authority, commencée avant la Seconde Guerre mondiale, ont démontré l'intérêt d'une analyse géographique. Enfin l'extension planétaire des intérêts américains, le fait d'avoir à envisager des interventions rapides dans les endroits les plus divers ont fait que la recherche géographique est considérée comme un outil indispensable. Les photographies aériennes et surtout celles prises des satellites fournissent des centaines de milliers de documents qu'il faut analyser, « traiter » : l'opération « Skylab », qui a duré des semaines, a accumulé une documentation extraordinairement variée et précise sur un grand nombre de phénomènes « naturels » et « humains », pour toute la surface du globe. De quoi employer des milliers de géographes pendant des années.

Ce sont des raisons comparables qui ont provoqué, depuis peu, le développement d'une recherche géographique *globale* en URSS : jusqu'alors, seule la géographie physique avait droit de cité ; mais la géographie humaine, restée ignorée sinon suspecte jusqu'à ces derniers temps, commence elle aussi à se développer.

En France, les recherches de géographie appliquée sont de plus en plus nombreuses depuis une dizaine d'années. Mais elles ne disposent pas des moyens de la géographie américaine, qui sont à la mesure de ceux de l'impérialisme américain. Surtout les recherches de « géographie appliquée » en France, dans la mesure où ce sont des géographes formés à l'Université qui en sont chargés, s'inscrivent dans un contexte intellectuel assez différent. En effet, il existe déjà depuis des décennies une recherche universitaire en géographie dont le but et la démarche sont tout autres. Mais quoi qu'en disent certains aujourd'hui, son intérêt ne se mesure pas seulement au rôle qu'elle occupe dans le rituel universitaire pour accéder aux différents niveaux de la hiérarchie. Evidemment, en raison de l'indolence épistémologique dans laquelle les géographes ont longtemps baigné, le choix des thèmes qu'a développés cette recherche n'était guère fonction de leur portée théorique. Plus encore, enfermée dans son rôle académique, la géographie universitaire ne pouvait guère orienter ses recherches sur des problèmes d'une grande utilité pratique.

Pour qu'il en fût autrement, pour qu'elle se demande comment *on* pourrait agir dans telle région, comment *on* pourrait modifier la situation pour y atteindre tels objectifs, il aurait fallu qu'*on* lui pose ce genre de problème, qu'*on* lui dresse un programme de recherche en fonction d'objectifs qu'*on* lui aurait définis. Mais *on*, qui est-ce ? En dernier ressort, ce sont ceux qui ont le pouvoir, les états-majors de l'appareil d'Etat ou des grandes firmes. Ce n'est pas le géographe qui aménage, qui entreprend telle opération. Il n'est que celui qui rassemble les connaissances nécessaires à l'élaboration des plans d'aménagement et des stratégies d'action, qui sont décidés en définitive par le politique. Pendant des décennies, les géographes universitaires n'ont pas été sollicités (soit qu'ils aient été tenus à l'écart de ces recherches, soit que le pouvoir n'ait pas jugé bon de les entreprendre), aussi leurs recherches n'ont-elles eu pour but que le savoir pour le savoir désintéressé. Faute d'avoir à chercher comment on pourrait mener telle action dans telle région (quelles sont les diverses « données » favorables et défavorables ? y compris celles qui ne paraissent n'avoir guère d'intérêt « scientifique », mais que la stratégie doit appréhender), les géographes en ont été réduits à se demander comment se sont mis en place historiquement et se combinent un certain nombre de facteurs physiques et humains, en fait seulement ceux auxquels il était convenu de prêter un intérêt « scientifique » (en fonction de l'exemple des maîtres). D'où les énormes lacunes qui caractérisent les descriptions d'inspiration vidalienne.

Les recherches appliquées n'ont évidemment que faire d'un grand nombre de thèmes que la corporation des géographes universitaires juge scientifiquement intéressants, et elles portent sur des questions jugées bien prosaïques. Aussi, dans un premier temps, ont-elles été considérées comme plus ou moins subalternes par les maîtres de l'Université et la plupart d'entre eux se sont d'abord abstenus de s'y engager personnellement.

Mais maintenant, il existe en fait une véritable compétition pour « décrocher » des contrats auprès de divers organismes gouvernementaux et internationaux. Les crédits qu'ils dispensent permettent à certains maîtres de s'entourer d'une « équipe » dont le nombre atteste de l'influence du patron. Cependant ces contrats ne sont pas seulement recherchés pour les moyens financiers qu'ils procurent, en dehors de l'Université ou du prestige qu'ils confèrent. Ils permettent la mise en œuvre de moyens importants et la possibilité de réunir une abondante information, ce qui est la condition pour pouvoir enfin aborder certains sujets dont l'intérêt scientifique est certain.

L'intérêt croissant que les maîtres de la géographie universitaire portent aux problèmes de géographie appliquée les a conduits à se rendre compte des insuffisances de... leurs étudiants.

En effet, la formation que ceux-ci recevaient dans l'ambiance de la géographie vidalienne (et surtout en fonction des futures tâches d'enseignement) ne les rendaient guère aptes à participer utilement à des recherches de géographie appliquée. Aussi des organismes comme la DATAR, dont l'activité est pourtant en grande partie consacrée à l'analyse géographique, en fonction des politiques d'aménagement du territoire, emploient-ils encore fort peu de géographes mais des économistes. C'est pourquoi les maîtres de la géographie universitaire abandonnent les vieilles préventions à l'égard des sciences sociales pour inciter leurs élèves à se porter concurrents des sociologues et des économistes, en imitant leurs méthodes.

Aussi les limites qu'imposait la reproduction du modèle vidalien, la barrière qu'il s'était efforcé d'établir du côté des sciences sociales sont-elles aujourd'hui de plus en plus largement franchies, sans pour autant que les tenants de ce courant « moderniste » entreprennent une critique de fond de la géographie dite « traditionnelle » et surtout sans qu'ils en viennent à poser un certain nombre de problèmes épistémologiques fondamentaux.

C'est aux Etats-unis principalement, et dans d'autres pays où la géographie scolaire et universitaire ne s'était pas beaucoup développée, que les besoins de la recherche en géographie appliquée, pour une bonne part, ont conduit à un ensemble de réflexions et de travaux théoriques qui a été bientôt baptisé « New Geography ». Celle-ci a été présentée par ses partisans comme le résultat d'une rupture épistémologique en regard du discours littéraire et subjectif de la géographie « traditionnelle », et comme le passage de la géographie au rang des sciences exactes. En effet, cette « New Geography », que l'on appelle aussi « géographie quantitative », est basée sur la formulation mathématique de ses raisonnements et sur une formalisation très poussée, en termes de modèle mathématique. Autant le discours de la géographie universitaire pouvait privilégier l'examen de quelques facteurs jugés scientifiquement intéressants, et pouvait évoquer leurs combinaisons en termes qualitatifs, autant les méthodes de la géographie appliquée obligent à la prise en considération d'un très grand nombre de facteurs : il faut non seulement disposer pour chacun d'eux d'un grand nombre de données statistiques réparties convenablement dans l'espace et dans le temps, mais aussi établir un système de pondération de leurs rôles respectifs pour parvenir à la présentation statistique du résultat de leurs interactions dans les différentes cases que l'on trace sur la carte de l'espace envisagé. Les méthodes d'analyse factorielle ne peuvent être mises en œuvre, pour traiter un grand nombre de données, qu'au moyen de puissants ordinateurs.

Cette géographie « moderne », venue d'outre-Atlantique, fière de ses formulations mathématiques et du recours systématique aux ordinateurs, a bien du prestige. Dans le clan de ses adeptes, on pense que les réticences qu'elle provoque parmi les héritiers de l'école géographique française, dont le renom se fane, ne sont dues qu'à la faiblesse de leur niveau en mathématiques. La géographie « appliquée », la géographie « quantitative », la « New Geography », dans la mesure où elles se propageront (en France elles ne touchent encore qu'une petite minorité des universitaires), vont-elles, à elles seules, résoudre les problèmes de la géographie ?

Des géographes plus ou moins prolétarisés pour des recherches parcellaires confisquées par ceux qui les paient

Pour les géographes enfermés jusqu'alors dans leur fonction idéologique professorale, la recherche appliquée est la possibilité de se sentir utile à quelque chose, sentiment très profond chez beaucoup d'entre eux. Ont-ils le sentiment de renouer avec la tradition des géographes et de rétablir à la fois des relations avec le pouvoir et des rapports entre savoir et action ? Est-ce le fait que la géographie soit une représentation du monde qui les incite à jouer un peu aux démiurges ?

Ce qui séduira la plupart des géographes dans la géographie « appliquée », c'est l'occasion de n'être plus des « profs » et d'avoir d'autres interlocuteurs que des étudiants ou des élèves ; la géographie « quantitative », encore plus prestigieuse, aurait plus d'adeptes, s'il n'y avait pas la difficulté des mathématiques.

La multiplication des recherches de géographie « appliquée », par l'expérience qu'elles procurent en les sortant de la fonction idéologique où ils sont enfermés, peut-elle permettre de résoudre les problèmes de la géographie, c'est-à-dire pas seulement les problèmes des géographes au plan de la production des idées, mais aussi, le problème du savoir géographique, le savoir penser l'espace au sein de la société ? Dans l'état actuel des choses, certainement pas. Tout d'abord, si l'on peut parler de façon générale de la « géographie appliquée », comme d'un ensemble de recherches, il ne faut pas oublier qu'il s'agit, concrètement, d'une multiplicité de recherches qui ne sont pas coordonnées au niveau de ceux qui les effectuent ; et ce n'est point parce qu'elles portent, c'est inévitable, sur des problèmes extrêmement variés et sur des espaces de taille extrêmement inégale (depuis la monographie de village ou d'exploitation agricole jusqu'à l'étude portant sur plusieurs millions de kilomètres carrés comme pour les problèmes du Sahel), ni qu'elles soient effectuées par un grand nombre de chercheurs qui interviennent le plus souvent pour des tâches relativement limitées.

Certes, ces chercheurs disposent de moyens matériels et de facilités d'information qu'ils n'auraient pas pour une recherche universitaire, mais par les termes du contrat qu'ils ont chacun signé, ils ne sont plus libres de mener leur recherche à leur guise ni surtout d'en faire connaître les résultats. Ceux-ci appartiennent par contrat à l'administration, au bureau d'étude, à l'entreprise, à l'organisme international qui se réservent le droit de les garder secrets ou de les diffuser de façon plus ou moins confidentielle. Très faible est la proportion des travaux de géographie appliquée qui font l'objet de publication.

Aussi la plupart des géographes qui participent à des recherches de ce genre s'ignorent-ils les uns les autres, et surtout, ce qui est plus grave, ils ne peuvent se communiquer les résultats de leurs recherches ni comparer leur méthode. Certains chercheurs ne savent même pas très bien quelle utilisation sera faite effectivement de leur travail. L'expérience que peut retirer chaque géographe engagé dans ce genre de recherche se trouve donc limitée et sans effet d'entraînement.

La recherche « appliquée » devient un marché où les uns et les autres essaient de se placer et de se faire le mieux voir des bailleurs de fonds. On ne parle guère entre collègues des contrats que l'on a obtenus, car on ne tient pas à faire état de la rémunération que l'on a touchée ni à indiquer à d'autres la filière suivie. On se garde surtout de faire connaître les résultats d'une recherche, à moins d'y avoir été dûment autorisé par l'organisme qui en est le propriétaire, car on redoute sinon un procès, du moins que cette indiscrétion compromette à tout jamais l'occasion d'obtenir d'autres contrats... Même lorsque des chercheurs sont regroupés dans un grand organisme de recherche appliquée comme l'ORSTOM (Office de la recherche scientifique et technique d'outre-mer), il est bien connu qu'ils sont soumis à un contrôle très strict et que leurs travaux font l'objet d'une diffusion fort restreinte.

A la différence de la recherche universitaire dont les résultats sont normalement publiés sous le nom de celui qui les a obtenus — et cette personnalisation des idées produites compte beaucoup comme pour tous les intellectuels —, la recherche en géographie appliquée place le chercheur dans un statut tout autre, celui de tous les salariés qui perdent tout droit sur les fruits de leur travail dès lors qu'ils ont été payés. Il s'agit au fond d'une sorte de prolétarisation. Certes, ce n'est guère sensible pour ceux qui sont par ailleurs des universitaires de haut rang, mais le terme n'est pas du tout exagéré pour les étudiants plus ou moins avancés qui sont bien souvent utilisés comme main-d'œuvre par le « patron-professeur » qui a signé le contrat. Le système hiérarchique universitaire, construit sur la base de relations de domination et de dépendance au plan du savoir, commence à se combiner avec de véritables rapports d'exploitation.

Peu à peu les activités de recherches dans leur ensemble tendent à ne plus pouvoir être réalisées autrement que dans les conditions qui interdisent la diffusion de leurs résultats : c'est uniquement en faisant de la recherche *pour le compte* de tel organisme que l'on peut non seulement disposer de certains moyens matériels mais surtout de la possibilité d'accéder à l'information.

Il est vrai qu'un certain nombre de travaux de géographie appliquée qui ont bénéficié de moyens considérables font l'objet de publication par l'organisme qui les avait financés, sous le nom de celui qui a dirigé les recherches (et sans oublier ceux qui y ont participé). C'est tant mieux, mais du même coup se trouvent pratiquement disqualifiés des travaux universitaires qui sont menés individuellement, sans le concours d'un personnel nombreux, sans ordinateur et surtout sans possibilité d'accéder à une documentation que les organismes d'Etat réservent de plus en plus aux recherches qu'ils peuvent contrôler directement.

Le développement des recherches de la géographie quantitative va dans le même sens ; elle implique une masse de données statistiques et des moyens de traitement très coûteux. Les uns et les autres dépendent en fait de l'appareil d'Etat ou des grandes firmes. Ce qui implique que cette « New Geography » quantitativiste, en regard de laquelle la géographie traditionnelle paraît dérisoire, est pratiquement interdite à des chercheurs qui ne sont pas agréés par ceux qui détiennent le pouvoir.

Bien sûr, la mise en œuvre des méthodes d'analyse quantitative rend indispensable un effort de clarification théorique. L'utilisation systématique des ordinateurs et d'un stock de données considérables rassemblées à de multiples fins permet de disposer très rapidement d'informations très précises quant aux configurations spatiales d'un très grand nombre d'ensembles et sous-ensembles et quant à leurs relations. Mais le progrès des méthodes d'analyse spatiale et le développement de la géographie « appliquée » entraînent, contradictoirement, une transformation du statut des géographes et du rôle de leurs recherches. La position universitaire d'intellectuel indépendant, qui attache son nom aux résultats d'une recherche qu'il a choisie, qu'il a réalisée en tant qu'œuvre scientifique personnelle (et parfois de chef-d'œuvre), qu'il peut faire connaître plus ou moins largement, tend à faire place à un état d'employé, de technicien scientifique engagé sous contrat, souvent à titre temporaire, pour effectuer anonymement une recherche plus ou moins parcellaire pour le compte d'un organisme public ou privé qui en fixe l'objet et le cadre spatial, et qui en détient les résultats à titre de propriété exclusive.

Alors que les résultats des recherches scientifiques et techniques, par exemple en physique, chimie, électronique, etc., y compris celles qui sont effectuées dans le cadre des entreprises privées, font l'objet de nombreuses publications (après bien sûr le dépôt de brevets), ce qui permet à chaque chercheur de situer sa recherche très spécialisée dans le cadre de la discipline qui le concerne (cette circulation des idées correspond d'ailleurs aux intérêts des entreprises), la grande majorité des travaux de géographie appliquée restent confidentiels, justement parce qu'il s'agit d'analyse spatiale.

En effet, autant les phénomènes économiques et sociaux font l'objet d'abondantes publications et statistiques, du moment qu'il s'agit d'analyses sectorielles portant sur l'ensemble des circonscriptions de l'Etat, autant l'analyse de la situation globale de telle région, de tel endroit (et plus encore les projets relatifs à telle partie du territoire) reste confidentielle, sous prétexte qu'elle n'intéresse chacune qu'un trop petit nombre de personnes. En fait, c'est surtout parce que les résultats de ces recherches sont des informations éminemment politiques ; ce n'est pas tant pour éviter leur diffusion dans les milieux « scientifiques » que ces informations restent confidentielles, mais plutôt pour éviter que les groupes de populations vivant à tel endroit, dans telle région qui a fait l'objet de ces recherches, en aient connaissance par différents canaux. Pour les « enquêtés » placés dans des situations dont ils ne perçoivent pas toutes les caractéristiques et tous les facteurs, les résultats de ces recherches auraient une importance considérable ; ils leur permettraient de mieux voir ce qui se passe concrètement chez eux et d'être informés de ce qui risque de s'y passer.

C'est pour cette raison que toutes ces affaires de géographie « appliquée », de géographie « quantitative » ne concercent pas que les géographes (et ceux qui les emploient), mais tous les citoyens. Pour le développement d'une société démocratique, il est grave que ce soit seulement la minorité au pouvoir qui sache comment la situation se transforme concrètement dans les multiples parties du territoire et comment on peut intervenir dans ces changements.

Ce n'est pas pour l'essentiel la géographie « appliquée » ou la géographie « quantitative » qui doivent être mises en cause ; l'orientation de l'une et les méthodes de l'autre sont indiscutablement positives et il n'est pas d'ailleurs possible de freiner leur développement. Mais ce sont leurs conséquences politiques inéluctables qui doivent être dénoncées : le fait qu'elles soient orientées en fonction des seules préoccupations du pouvoir et que leurs résultats soient confisqués par ceux qui détiennent les leviers de commande des organisations bureaucratiques et financières donne du même coup un rôle particulièrement important à la recherche universitaire (malgré ses insuffisances), dans la mesure où ses résultats sont non seulement publiés et discutés entre « spécialistes », mais peuvent atteindre par divers canaux des milieux beaucoup plus larges.

Mais ne dira-t-on point qu'il est inéluctable, dès lors que la géographie produit un savoir stratégique, que la minorité au pouvoir accapare ce savoir ? Traditionnellement, avant le développement de la « géographie des professeurs », les géographes ne dépendaient-ils pas directement des « états-majors » et les résultats de leurs travaux ne relevaient-ils pas, alors, du secret le plus strict ? Evidemment ! mais il s'agissait de techniciens peu nombreux, surtout de militaires.

Aujourd'hui il en est tout autrement : les « états-majors » militaires, administratifs, financiers ont encore leurs propres services de recherches, de documentation géographique, chargés des tâches les plus particulières. Mais il existe maintenant un beaucoup plus grand nombre de géographes qu'autrefois et surtout la plupart d'entre eux ont, dans la société, le statut d'universitaires, de scientifiques, et ils ne dépendent donc plus directement et totalement des « états-majors ». Compte tenu de l'augmentation du nombre des étudiants, l'effectif des géographes enseignant à l'Université s'est rapidement accru dans les dernières années — en France ils sont passés de 23 en 1920, 71 en 1955, à 544 en 1972, et à 1 157 en 1984 (y compris les chercheurs CNRS) — et ce sont eux qui effectuent une bonne partie des recherches de géographie appliquée que commandent les divers services de l'administration ou les organismes privés. Ces géographes, qu'entourent des disciples plus jeunes, des étudiants plus ou moins avancés, se trouvent au sein de l'Université ; celle-ci n'est plus seulement comme autrefois une machine à fabriquer des professeurs ; l'augmentation du nombre des étudiants, le rôle des médias, l'évolution politique en ont fait aussi un des principaux lieux de discussion et de contestation. Il est donc nécessaire que les géographes prennent conscience des problèmes que pose l'évolution de la recherche : pour eux-mêmes, de cette tendance à la « prolétarisation », et aussi, pour tous les citoyens, des conséquences de l'accaparement des résultats au profit de quelques-uns.

Il est inéluctable que des géographes aient des rapports avec le pouvoir, et ces rapports sont nécessaires pour que la géographie ne soit pas seulement un discours idéologique et qu'elle apparaisse en tant que savoir stratégique. Mais ces rapports peuvent ne pas être nécessairement serviles, ils peuvent être contradictoires et, pour certains, antagonistes.

Pour une géographie des crises

Pour certains, se poser le problème du savoir et du pouvoir les conduit à invoquer la nécessité d'un changement radical et absolu de la société tout entière, et en particulier la suppression d'une des formes premières de l'organisation sociale, la division du travail. Cela dit, comme ce n'est pas pour demain, ils n'en font guère plus...

Mais il importe de ne pas tellement attendre les conditions d'un changement total, et d'essayer de faire dès à présent ce que l'on peut. Cela est tout particulièrement important à propos de la géographie, parce qu'elle peut être un savoir stratégique et parce que se multiplient rapidement au profit du pouvoir les recherches géographiques dont le caractère stratégique est évident.

Il faut se demander pourquoi la géographie « appliquée » se développe de plus en plus depuis deux ou trois décennies environ. Ce n'est pas seulement le résultat d'une mode des dirigeants ou l'effet du zèle des géographes à contribuer au bien public.

Certes on peut dire que, depuis que l'on trace des routes, des voies ferrées ou que l'on crée des villes, on a fait de la géographie « appliquée », et ce sont surtout des militaires, des ingénieurs, des hommes d'affaires qui ont mis en œuvre un ensemble d'informations, de cartes et de raisonnements pour dominer l'espace et y agir. Cette phase qui correspond à la découverte et à l'organisation d'espaces jusqu'alors mal connus et mal contrôlés par ceux qui détiennent le pouvoir est à peu près révolue aujourd'hui dans la plupart des pays. Elle a duré jusqu'à la fin du XIXe dans les « pays neufs », jusqu'à la moitié du XXe siècle en URSS, mais elle bat son plein actuellement dans les pays du tiers monde.

Aujourd'hui, dans la plupart des pays, les recherches de « géographie appliquée » portent principalement sur des espaces où se *manifestent* depuis peu des *difficultés* d'ordre varié. Cette « manifestation des difficultés » est une expression ambiguë qui recouvre des rapports de causalité complexes : soit que le gouvernement se trouve amené à « tenir compte » de phénomènes déjà anciens, en raison de leur aggravation brutale, en raison d'une prise de conscience quasi générale ; soit que les dirigeants s'avisent qu'une certaine région « connaît » tel problème « spécifique », qui est en réalité beaucoup plus général. Toujours est-il que les recherches de géographie appliquée sont directement ou indirectement fonction de « problèmes », de « difficultés », de « malaises », de « déséquilibres » qu'il s'agit, pour le gouvernement, de résoudre, de surmonter. Il est à noter que ces recherches ne sont plus directement l'affaire des administratifs, des politiques ou des praticiens, mais qu'elles sont le fait des « spécialistes », géographes (devenus parfois planificateurs spatiaux) qui ont un statut de « scientifiques ». Ceux-ci sont dans une grande mesure extérieurs aux organismes politiques et administratifs pour qui ces études sont réalisées et qui auront, au moins en principe, à prendre des décisions en conséquence.

Ce recours à des « scientifiques » qui n'ont pas à prendre de décision politique, ou à décider des prescriptions techniques, traduit chez ceux qui ont le pouvoir (tout à la fois) :

— le besoin d'avoir une idée précise de la situation lorsque des difficultés nouvelles apparaissent mais dont on entrevoit mal les causes ;

— l'idée qu'une analyse « scientifique » peut sans doute aider à trouver une solution et qu'un meilleur « aménagement » de l'espace peut être un remède ;

— le souci de dissimuler sous des raisons d'intérêt général exposées scientifiquement (par exemple les inégalités régionales) des stratégies fort lucratives pour certains intérêts particuliers.

Il y a aussi que, dans la plupart des pays, les problèmes et les difficultés prolifèrent et se diversifient selon les lieux. Comme les choses évoluent vite, il faut faire de nouvelles enquêtes.

Il importe de se rendre compte que ces recherches qui se multiplient sont menées séparément dans toute une série d'endroits et de régions, sur des problèmes très divers, par des géographes qui s'ignorent, pour des organismes différents qui eux sont directement ou indirectement en contact les uns avec les autres. En fait, ces recherches sont liées à la multiplication des tensions, des difficultés disparates, des déséquilibres variés. Ils se manifestent dans des régions de plus en plus nombreuses à la surface du globe, non pas uniformément mais d'une façon de plus en plus différenciée. La meilleure façon de rendre compte globalement de l'apparition et de l'aggravation de tous ces symptômes négatifs dans la plupart des pays est de poser l'hypothèse d'une *crise* qui prend des formes différentes selon les endroits. Il ne s'agit pas de réduire cette crise globale et de longue durée à la crise économique actuelle dont les manifestations ont commencé d'apparaître dans le début des années soixante-dix. Celle-ci aggrave celle-là. Selon les cas observés et les tendances idéologiques, on évoque d'abord comme manifestation majeure de cette crise d'ensemble :

— soit la destruction de la biosphère par les conséquences d'une croissance industrielle qui fait boule de neige depuis un siècle et qui a pris une ampleur formidable après la Seconde Guerre mondiale et jusqu'au début des années soixante-dix ;

— soit la dégradation des potentialités vivrières dans les parties du monde où vit la plus grande partie de l'humanité ;

— soit le déclenchement depuis trente ans dans un grand nombre de pays d'une croissance démographique prodigieuse qui va faire quadrupler le nombre des hommes en moins d'un siècle ;

— soit l'extension et l'engorgement d'énormes agglomérations urbaines où se concentrent et les biens et les services et les populations ;

— soit l'accentuation dramatique des inégalités entre les hommes qui vivent dans les différentes régions du monde, entre lesquelles les relations de domination, de dépendance, sont de plus en plus étroites ;

— soit l'affrontement direct ou indirect des grandes puissances qui cherchent à élargir les espaces sur lesquels s'exerce leur hégémonie, et qui accumulent sans relâche un formidable potentiel de destruction.

Mais tous ces problèmes, tous ces périls, nouveaux, ne serait-ce que par l'ampleur qu'ils viennent de prendre, apparaissent comme de plus en plus liés les uns aux autres. Ils s'imposent comme les symptômes majeurs d'une crise globale. Mais pour catastrophiques qu'ils puissent être en certains lieux, ces symptômes négatifs n'en sont pas moins liés à des transformations positives et à un ensemble de progrès : le recul de la mortalité et des maladies, les progrès de l'alphabétisme, le développement scientifique et technique, la conquête de l'indépendance nationale pour un grand nombre de peuples dominés, les reculs des méthodes les plus archaïques d'oppression, les progrès du socialisme, même si se mettent en place, au nom du progrès, des formes d'autorité plus efficaces.

Cette crise globale résulte du développement de plusieurs grandes contradictions ; ce n'est sans doute pas l'Apocalypse, mais une crise dialectique globale de dimension planétaire qui a commencé à s'amorcer avec la révolution industrielle en Europe, et s'est amplifiée au fur et à mesure des développements du système capitaliste ; elle n'est pas sans affecter par contrecoup les pays socialistes qui, de surcroît, connaissent leurs contradictions spécifiques.

Cette crise dialectique s'accélère non seulement dans le temps, mais se développe aussi dans l'espace. Elle ne se manifeste pas uniformément à la surface du globe, mais bien au contraire elle y prend des formes de plus en plus différenciées bien que de plus en plus étroitement liées les unes aux autres. Ce processus de différenciation est encore très mal analysé. On y fait allusion en constatant, d'une façon extrêmement schématique, les contrastes qui existent entre les pays dits « développés » et les pays dits « sous-développés ». Mais cette différenciation, qui est liée aux effets contradictoires de phénomènes relationnels de plus en plus rapides et étroits, se manifeste non seulement au niveau planétaire, mais au sein du tiers monde comme au sein du groupe des pays les plus industrialisés, et aussi dans le cadre de chaque Etat comme dans le cadre des diverses « régions » qu'il est utile de distinguer pour chacun d'eux. Cette différenciation ne se marque pas seulement par des indicateurs économiques auxquels, à la suite des économistes, on a pris coutume de se référer. Elle se manifeste aussi au plan de chacun des différents grands types de contradictions qu'il paraît utile de distinguer (par exemple les contradictions démographiques, les contradictions écologiques, les contradictions politiques...). Leur propagation, leurs interactions ne s'effectuent pas seulement sur des formes d'organisation économiques et sociales déjà très différenciées, mais aussi dans un espace où la diversité des conditions naturelles, écologiques est encore plus complexe en raison des transformations provoquées par les méthodes d'exploitation qui y furent pratiquées. Pour saisir les différents aspects de cet enchevêtrement, dont les éléments connaissent des rythmes d'évolution plus ou moins rapides, il faut distinguer plusieurs niveaux d'analyse spatiale, car les contradictions ne se manifestent pas de la même façon lorsqu'on les envisage au niveau local (tel que les gens les subissent directement) et sur de beaucoup plus vastes espaces, où elles doivent être appréhendées de façon plus abstraite.

Pour les géographes qui se donnent, ou se donneront, pour tâche de contribuer à la compréhension de cette crise globale en rendant compte de la diversité de ses aspects, les motivations ne sont pas strictement « scientifiques ». Ce souci des problèmes majeurs de notre temps est évidemment étroitement lié à des préoccupations politiques. Il y a aussi le souci d'être utile en quelque chose aux autres hommes. Il s'agit en quelque sorte d'une recherche scientifique militante, qu'elle s'inscrive dans le cadre universitaire ou dans celui de la géographie appliquée.

Aujourd'hui plus que jamais, le savoir est une forme de pouvoir, et tout ce qui touche à l'analyse spatiale doit être considéré comme dangereux, car la géographie sert d'abord à faire la guerre. Non seulement dans le passé mais aujourd'hui peut-être plus que jamais : ainsi par exemple ce sont les recherches théoriques de la « New Geography », où des géographes d'cxtrême gauche ont eu un rôle très important, qui ont rendu possible la mise au point des techniques de cartographie automatique et leur application dans ce que l'on a appelé au Viêt-nam la « guerre électronique » : l'ordinateur établit de façon quasi instantanée les cartes de tous les mouvements qui ont été détectés par des instruments automatiques. Cela permet des interventions extrêmement rapides.

De même, l'analyse des formes de différenciation spatiale de la crise constitue un savoir stratégique extrêmement utile, donc extrêmement dangereux. Les dirigeants des grandes firmes et des grands appareils d'Etat capitalistes, malgré leur répugnance idéologique à l'égard du marxisme, sont aussi des « réalistes ». Ils se souviennent par exemple qu'ils ont pu enrayer les crises classiques de surproduction, à partir du moment où le Dr Keynes a implicitement pris acte de l'analyse de Marx, pour proposer une stratégie « anticyclique », et ils se sont rendus compte que la réforme agraire réclamée depuis si longtemps par les forces de gauche dans de nombreux pays, ce pouvait n'être pas si mal. En fait, les dirigeants des appareils d'Etat et des grands groupes capitalistes ont de plus en plus besoin d'une analyse marxiste, ne serait-ce au miminum que pour comprendre le « terrain » et les intentions de l'adversaire. Mais il leur est bien difficile, pour des raisons évidentes de stratégie idéologique, d'inciter ceux qui travaillent pour eux à assimiler le marxisme pour pouvoir analyser efficacement les situations et leurs évolutions contradictoires. C'est pourquoi, pour ce qu'il est convenu d'appeler les états-majors, il est nécessaire, sinon de faire appel à des chercheurs marxistes, du moins de les laisser produire pour utiliser leurs travaux.

Est-ce plus ou moins consciemment pour tenter de conjurer cette « utilisation » de leurs recherches que, depuis quelques années, géographes, sociologues et anthropologues marxistes font débuter leurs ouvrages par les proclamations anticapitalistes et anti-impérialistes les plus radicales, comme si elles pouvaient dissuader les agents du pouvoir de prendre en considération les résultats de ces recherches qui viennent après de tels propos révolutionnaires. Mais ces proclamations ne changent rien au fait que les recherches en sciences sociales et en géographie fournissent aux minorités dirigeantes des informations d'autant plus précieuses qu'elles procèdent d'une analyse marxiste. Encore que ce ne soit pas inutile, c'est vite dit de proclamer, en substance : « A bas la géographie technocratique ! » Pourtant il est difficile de ne pas en faire. En effet, il ne s'agit pas tant d'un problème moral qui se poserait seulement au niveau du chercheur dans ses rapports avec le pouvoir que du contrôle, du regroupement, par la minorité au pouvoir, d'informations, de renseignements qui concernent tous les citoyens.

Ces hommes et ces femmes qui sont « objets » d'étude

Les géographes, du moins ceux qui s'interrogent pour des raisons politiques, morales ou religieuses sur le rôle qu'ils ont par rapport à d'autres hommes, doivent se rendre compte qu'ils sont dans une grave contradiction.

En effet le problème n'est pas seulement entre le chercheur et le pouvoir mais entre le chercheur, le pouvoir et ceux qui vivent dans l'espace sur lequel porte la recherche, c'est-à-dire les hommes et les femmes qui sont, comme on dit, « *objets* » d'étude. Le géographe doit être bien conscient qu'en analysant des espaces il fournit au pouvoir des renseignements qui permettent d'agir sur les hommes qui vivent dans ces espaces. La contradiction peut être schématisée de la façon suivante : plus une recherche a été en mesure d'appréhender les réalités (et en particulier plus elle rend compte des diverses contradictions, en se référant plus ou moins explicitement à une analyse marxiste), c'est-à-dire plus la valeur scientifique de cette recherche est grande et plus le pouvoir disposera de renseignements précieux qui lui permettront d'agir de façon efficace sur le groupe étudié : théoriquement, c'est pour le bien de celui-ci ou dans l'intérêt général, mais en fait, le plus souvent, il en va tout autrement.

Le géographe devrait donc se demander à quoi peut servir et dans quel contexte politique s'inscrit la recherche qu'il entreprend ou qu'on lui demande d'entreprendre ; il devrait même refuser (au moins refuser d'en faire connaître les résultats), dans les cas où manifestement les renseignements qu'il fournirait serviraient à spolier ou à écraser une population, en particulier celle-là même qu'il a étudiée.

Il faut que le géographe se rende compte qu'il est en fait, non pas un voyeur impuissant, mais un *agent de renseignements*, qu'il le veuille ou non, au service du pouvoir, et ses proclamations révolutionnaires ou ses préoccupations morales n'y changeront rien. Il faut qu'il se rende compte que sa recherche peut avoir de très graves conséquences, même si elle présente un caractère partiel (car ses résultats peuvent être combinés à ceux d'autres recherches), même si elle ne porte que sur les caractéristiques physiques d'un espace (c'est d'après les conclusions de géomorphologues quant à l'érosion que, dans de nombreux pays, des centaines de milliers de gens ont été chassés des lieux où ils vivaient, pour faire du reboisement, des travaux de défense et de restauration des sols). Le géographe doit se rappeler constamment que la géographie est un savoir stratégique et qu'un savoir stratégique c'est dangereux.

Ce problème moral et surtout politique devrait être indissociable de la pratique scientifique. Il ne se pose pas seulement à ceux qui sont plus ou moins influencés par le marxisme, mais à tous ceux qui s'interrogent sur leur métier et le rôle qu'il a dans la société. Chaque géographe doit prendre conscience de ses responsabilités à l'égard des hommes et des femmes qui vivent dans l'espace qu'il étudie et qui sont, directement ou indirectement, « objet » de sa recherche. Plus l'espace appréhendé est vaste, plus le groupe [1] qu'ils forment est nombreux, plus il est envisagé à petite échelle, de façon abstraite à travers des données statistiques, et plus les responsabilités du géographe paraissent se diluer : il y a eu et il y aura tant d'autres recherches sur cette région... ; c'est alors sa conscience des problèmes politiques au niveau général qui peut l'amener à ne pas négliger les conséquences politiques que peuvent avoir ses travaux. Nous y reviendrons.

En revanche, lorsque la recherche est menée à grande échelle, lorsqu'elle porte sur un espace relativement restreint où vit un groupe d'hommes et de femmes relativement peu nombreux, le géographe ne devrait pas pouvoir éluder ses responsabilités. C'est pourtant ce qu'il fait le plus souvent, car des relations personnelles se sont établies entre lui et eux, les enquêtés, car il leur doit une grande partie des résultats de sa recherche : tout géographe « sur le terrain » (ce terme a une valeur très forte

---

1. Ce terme si fréquemment utilisé a évidemment une signification très variable et ambiguë.

pour les géographes, comme pour les militaires) sait très bien qu'il ne peut mener sa recherche sans la sympathie des gens qui vivent là ; et il s'efforce d'ailleurs de susciter cette sympathie : non seulement ils répondent à ses questions, ils lui donnent des explications, ils le guident vers les endroits qu'il veut voir, mais aussi ils l'accueillent, ils l'hébergent et partagent avec lui ce qu'ils ont à manger, en lui donnant la meilleure part. Dans cette phase du travail « sur le terrain », le géographe se trouve largement dépendant des hommes qui habitent cet espace. Mais c'est en « objet » d'étude qu'il va traiter ces hommes comme cet espace, surtout lorsqu'il va rendre compte de tout ce concret, de tous ces gens qu'il connaît, en abstractions, en chiffres, en cartes, en renseignements.

Le géographe doit devenir conscient que ces renseignements, résultat de sa recherche, permettront à l'administration, aux dirigeants des banques, le cas échéant à l'armée..., bref au pouvoir, de mieux contrôler ces hommes et ces femmes qui ont été l'objet de ses investigations, de mieux les dominer, les spolier et dans certains cas de les écraser. Mais, la prise de conscience des responsabilités est le plus souvent éludée par le sentiment de satisfaction — au fond c'est une sensation de pouvoir — que donne la construction d'un abstrait qui appréhende un espace et les gens qui y vivent.

En fait, la sympathie, largement payée de retour, que leur a témoignée le géographe lorsqu'il était parmi eux est un abus de confiance. Mais il ne s'agit pas d'en rester à des sentiments de doute ou de remords, mais de voir comment dépasser cette contradiction. Puisque la recherche du géographe aboutit à la production d'un savoir stratégique, puisqu'il peut y avoir contradiction (à plus ou moins brève échéance) entre les intérêts de la population qui a été l'objet des recherches et ceux d'une minorité qui est en mesure d'utiliser à son profit les résultats de ces recherches, il faut trouver le moyen pour que cette population dispose elle aussi de ce savoir stratégique, afin qu'elle puisse mieux s'organiser et se défendre.

Au premier abord, ce projet peut paraître parfaitement utopique, et certains ne manqueront pas de s'en gausser. Comment une « population » pourrait-elle dans son ensemble s'intéresser à des connaissances scientifiques, quand bien même pourrait-elle les assimiler ? Si l'on veut transmettre à des gens un savoir qui les concerne spécifiquement, que leur apprendre qu'ils ne sachent déjà mieux que quiconque ? En fait il est possible de soutenir que ce projet n'est pas aussi utopique qu'il le paraît, et qu'il peut sans doute se réaliser dans de nombreux cas ; il ne s'agit pas de tenter des « expériences » ni d'essayer d'appliquer une idée par quelques recettes d'animation de groupe. L'esquisse de ce projet résulte de l'expérience acquise, par quelques-uns dans un certain nombre d'actions où ils furent engagés, pour des raisons diverses (recherche scientifique ou action militante) sans idée *a priori*. Il leur est apparu après coup (et ce ne fut pas sans les étonner) que des groupes d'hommes placés dans des conditions aussi différentes que des paysans africains et des ouvriers français avaient pu chacun utilement mettre en œuvre, dans des actions somme toute politiques (quelle que soit leur formulation), un savoir résultant d'une recherche qui les concernait directement, et à laquelle ils avaient en fait étroitement participé.

Car il ne s'agit pas de procéder d'abord comme on le fait habituellement à l'« *extraction* » d'un savoir à partir d'un groupe « objet », *soumis* à l'enquête, *observé, sondé, questionné* en fonction d'une problématique qu'il ignore, et ensuite de l'informer des résultats qui ont été *obtenus* par ces procédés classiques de la recherche, de lui communiquer les renseignements que l'on a pu « *retirer* » des questionnements qu'il a subis. Il est symptomatique que la plupart des expressions communément utilisées pour parler des actions de recherche s'apparentent au vocabulaire de l'extraction minière ou de l'enquête policière. A la limite, et c'est à peine une caricature, il ne s'agit pas d'envoyer au chef de village, quand bien même saurait-il lire, ou au responsable syndical, le tiré-à-part de l'article ou le livre que l'on a rédigé une fois rentré chez soi. Encore que cette façon de faire — conforme au rituel des échanges entre universitaires — soit déjà mieux que rien, malgré sa naïveté (on pense que les gens lisent ces écrits rédigés selon les canons du style scientifique) et son inefficacité. C'est déjà un peu considérer les gens avec lesquels on a vécu comme des hommes et des femmes réels, et non pas comme des « objets de connaissance ».

Comme les textes géographiques (et aussi ceux qui relèvent des sciences sociales) seraient différents si le chercheur devait, avant son départ, les lire et s'en expliquer devant les gens qui vivent dans l'espace qu'il a étudié et qui sont d'une façon ou d'une autre concernés par sa recherche ! Mais, le plus souvent, les gens qui ont accueilli le géographe, qui ont répondu à ses multiples questions, qui l'ont guidé sur le terrain, qui l'ont aidé de diverses façons ne sauront jamais ce qu'il en a retiré ; en revanche, il communiquera directement (ou non) tous les renseignements qu'il a obtenus à ceux qui les utiliseront pour mieux mettre en œuvre les forces dont ils disposent sur le territoire qu'il a étudié ; sur les hommes et les femmes qui y vivent et dont la recherche a révélé, a *exposé* les caractéristiques, particulièrement celles qui révèlent les façons dont ils s'organisent spatialement. Ce n'est pas seulement métaphore de dire que, de ce fait, ce groupe qui a été objet de recherche est encore plus *exposé* aux agissements des forces économiques et politiques qui sont puissamment organisées sur des espaces beaucoup plus considérables. Bien qu'ils soient parfois au loin, ceux qui dirigent ces forces disposent sur ce groupe, pour agir sur lui, de renseignements plus efficaces que la connaissance que ce groupe n'a de lui-même. Car cette connaissance implicite machinale — les diverses façons dont le groupe utilise son territoire — est encore étroitement confondue à des pratiques usuelles communes à tous les membres du groupe et circonscrite à un espace plus ou moins limité. En dépit de sa richesse, tant qu'elle n'a pas été transformée, ce savoir spontané ne peut leur servir à comprendre et à affronter des situations nouvelles qui résultent d'entreprises menées de l'extérieur sur des espaces beaucoup plus vastes en fonction d'objectifs ou de stratégies qui sont cachés au plus grand nombre. Mais pour une bonne part, c'est de cette connaissance, jusqu'alors informulée, non dissociée de la vie quotidienne, que le géographe va extraire par son enquête, en fonction d'une certaine problématique, les renseignements qui, une fois formulés, formalisés, cartographiés, deviennent des outils efficaces pour des actions qui seront entreprises sur ce groupe, selon des stratégies et des objectifs qu'il ignore. Que le géographe en soit conscient ou non, ce sont ces stratégies et ces objectifs qui orientent dans une grande mesure la problématique qu'il met en œuvre et qui l'incitent à s'intéresser à ceci plutôt qu'à cela.

Il faut que les gens sachent le pourquoi des recherches dont ils sont l'objet

Pour qu'un groupe d'hommes et de femmes qui vivent dans un espace qui va être l'objet, tout comme eux-mêmes, d'une recherche géographique, puisse avoir, lui aussi, connaissance des résultats qu'elle fournira, rien ne sert de leur faire des cours après coup pour leur apprendre ce qu'ils sont ; il faut qu'ils soient en mesure de participer au déroulement de cette opération de production d'un savoir à partir de ce qu'ils vivent. Pour cela, il faut qu'ils soient mis au courant des raisons pour lesquelles cette recherche a été entreprise, de ce qui va peut-être se passer chez eux, compte tenu de ce qui se passe ailleurs, compte tenu des projets du pouvoir. Une des premières règles de cette déontologie du géographe sur le terrain, qu'il faudrait imposer pour qu'il cesse d'être un espion et lui éviter d'être un salaud plus ou moins inconscient, serait qu'il explique pourquoi il est là, pourquoi il s'intéresse à ceci et à cela, à telle forme de terrain ou à telle façon d'irriguer la terre, etc., et les gens sont très vite extrêmement intéressés par le pourquoi de ces investigations, car ils se rendent rapidement compte que cela les concerne au plus haut point. Il faut peu de temps pour que l'analyse géographique leur apparaisse en fait dans son rôle stratégique. Evidemment cette façon d'agir pose des problèmes, car le géographe va apparaître comme agent du pouvoir. Mais le problème du pouvoir ne se pose plus pour lui au plan du cas de conscience après l'achèvement de sa recherche (qui va utiliser ses résultats ?). Le problème est posé, dès l'abord, et en termes finalement politiques, au sein du groupe « objet de la recherche » qui va en discuter, et se saisir des projets du pouvoir et des contradictions qu'ils entraînent. Le géographe, parce qu'il a commencé d'exposer ses buts, va devoir s'expliquer et définir ses positions face aux contradictions que risque de provoquer la mise en œuvre des projets du pouvoir.

Certes, il est sûr qu'une fois révélés les buts de certaines recherches au groupe qui doit en être l'objet, celles-ci ne pourront pas avoir lieu, et le géographe devra partir. Dans certains cas, qui résultent de malentendus, ce sera évidemment dommage. Mais le plus souvent ce sera tant mieux et certains mauvais coups ne pourront plus s'accomplir aussi facilement. A bien y réfléchir, il est parfaitement juste qu'un groupe refuse d'être étudié et qu'il s'oppose à ce que l'on analyse la façon dont il utilise l'espace où il vit.

En revanche, les résultats d'une recherche à laquelle un groupe a décidé de participer, en connaissance de cause, sont d'une extrême richesse tant du point de vue proprement scientifique, qu'au plan culturel et politique. Un certain nombre d'exemples, aussi bien dans les sociétés hautement industrialisées que dans celles du tiers monde, prouve que tout cela n'est pas une utopie. En raison même du caractère éminemment stratégique du raisonnement géographique dès lors qu'il est lié à une pratique, des groupes relativement peu nombreux (quelques centaines à quelques milliers de personnes), conscients d'occuper un espace délimité sur lequel ils ont des droits, peuvent participer véritablement à une recherche sur les formes d'organisaton spatiale de leurs activités et sur les changements positifs et négatifs qui sont susceptibles d'y être opérés, dès lors qu'ils ont compris que le savoir qu'ils en retirent va leur permettre de mieux s'organiser et de mieux se défendre. Ce savoir résulte dans une grande mesure de la transformation de l'explication, sous l'effet des questions du géographe, de cette connaissance collective de la situation locale, qui jusqu'alors n'était pas formulée. Mais le savoir intègre aussi les informations fournies par le géographe sur ce qui se passe ailleurs et sur des phénomènes qui ne peuvent plus être appréhendés qu'en prenant en considération des espaces beaucoup plus étendus.

Bien sûr, ce savoir ne passe pas au groupe dans son ensemble, comme ce n'est pas le groupe dans sa totalité qui participe à cette recherche, mais une partie de ses membres, compte tenu de ses structures et de ses contradictions ; celles-ci peuvent être très variées et le géographe doit en tenir compte, en raison même de l'extrême diversité des groupes qu'il peut être amené à distinguer pour une analyse à grande échelle. Il faut évidemment que chaque « groupe » ait une relative cohérence et conscience de sa plus ou moins grande autonomie sociale et spatiale, au sein de formations sociales plus vastes et d'espaces plus étendus.

Les problèmes que pose la recherche géographique quant à l'utilisation de ses résultats sont assez différents lorsqu'elle porte sur des espaces beaucoup plus vastes (régions, Etat) et sur des effectifs trop nombreux pour que le géographe puisse les appréhender autrement que de façon abstraite et statistique. Mais, pour ces recherches à petite échelle dont les résultats sont eux aussi stratégiquement fort importants, le problème de la responsabilité des géographes n'en devrait pas moins être posé ; mais en termes collectifs en raison de la multiplicité des recherches qui émanent d'un grand nombre de chercheurs. La transmission, vers ce qu'il est convenu d'appeler les « masses », d'un savoir dont la fonction politique est globalement très importante ne peut être qu'un processus à long terme ; il ne peut s'effectuer que sous l'influence de ceux qui ont une action politique s'ils sont amenés à faire preuve de vigilance à l'égard des problèmes spatiaux et sous l'influence des géographes de l'enseignement secondaire dans la mesure où ils ont pris conscience de la mystification qu'ils reproduisent. Le rôle des uns et des autres est fondamental. Il s'agit de briser cette indifférence générale à l'égard de la géographie, considérée comme discours pédagogique fastidieux et inutile, de dénoncer sa fonction idéologique mystifiante, d'appeler à la vigilance contre ses affirmations d'évidence, de démontrer par mille exemples l'importance du raisonnement géographique en tant que savoir stratégique. Mais parvenir à cela paraît être une gageure, alors que les élèves dans les lycées ne veulent plus entendre parler de géographie et que les militants, qui ont eux aussi subi la géographie à l'école, n'envisagent l'analyse marxiste qu'en termes historiques et ne prêtent pas le moindre intérêt à la dimension géographique des phénomènes politiques. Pourtant, tout n'est pas perdu. Bien au contraire.

Crise de la géographie des professeurs

La crise de la géographie des professeurs indique peut-être que l'écran de fumée commence à se dissiper et que l'importance stratégique des problèmes spatiaux est sur le point d'apparaître au plus grand nombre. Le ras le bol dans les lycées et collèges, à l'égard de la géographie, relève bien évidemment du malaise général de l'enseignement ; mais pourquoi la géographie est-elle particulièrement mise en cause ? Il s'agit d'un phénomène somme toute assez récent : dans le passé, cette discipline suscitait un intérêt certain, malgré des pratiques pédagogiques qui paraissent aujourd'hui ahurissantes. Puis elle a provoqué un certain ennui qui s'est amplifié bien que les manuels de géo soient de mieux en mieux illustrés et prennent même la forme des magazines. Depuis quelques années, le rejet se manifeste par des attitudes qui ne rendent pas la vie drôle aux « profs de géo ». Quelques-uns en viennent à accuser la télé, le cinéma de concurrence déloyale, de « démagogie pédagogique » et d'être la cause de leurs désagréments. Est-ce parce que les médias montrent les images de tous les pays, de tous les paysages de façon tellement séduisante que les élèves, blasés, ne voudraient plus « faire de géo » en classe ? Mais est-ce bien la géographie-spectacle qui est la cause principale des difficultés des professeurs de géographie dans l'enseignement secondaire ? On n'a pourtant jamais autant acheté de « guides » et d'encyclopédies géographiques (surtout celles qui paraissent sous forme de livraisons périodiques), bien que ces ouvrages à succès ne soient guère différents par la forme et le fond des manuels abhorrés.

Bien plus que la géographie-spectacle avec le déroulement de ses paysages, c'est l'actualité que les journaux, la radio, la télé relatent, jour après jour, et la politisation croissante des jeunes qui sont les causes majeures de cette crise de la géographie.

L'actualité est faite d'une succession d'événements survenus aux quatre coins du monde et leur évocation oblige à les replacer dans le pays où ils viennent de se produire, mais aussi dans une chaîne plus ou moins complexe de causalités qui est en fait un raisonnement géopolitique. C'est parfois même l'événement de géographie physique qui devient phénomène politique : le typhon du Bengale, les tremblements de terre du Pérou, la sécheresse au Sahel.

C'est justement l'intérêt croissant et non pas le désintérêt pour ce qui se passe dans l'ensemble du monde, qui détermine pour une grande part les difficultés des professeurs de géographie. Certes, dans le cas de la géographie, le rapport pédagogique en vient à être bouleversé, puisque le maître n'a plus, comme autrefois et comme c'est encore le cas pour les autres disciplines, le monopole de l'information. Autrefois le cours de géo, même avec un discours-catalogue qui paraîtrait maintenant une caricature inventée par des potaches gauchistes, suscitait l'intérêt, car il était le seul à apporter l'information ; aujourd'hui le maître et les élèves reçoivent en même temps, au fur et à mesure de l'actualité, une masse d'informations géographiques, pêle-mêle. De la géo en morceaux, de l'occasionnel, du spectaculaire sans doute, mais de la géographie tout de même. Pourquoi en classe les élèves ne veulent-ils plus entendre parler de géographie ? A cause de la répétition, du « déjà dit » ? Certainement pas.

L'actualité des mass media est un discours politique imprégné de représentations et de causalités au fond géographiques, et celles-ci sont arguments politiques. Cependant la géographie des professeurs continue, comme par le passé, d'évacuer la dimension politique. Or cette évacuation n'est pas volontaire, elle est tout aussi bien le fait du « prof réac » que des enseignants qui sont, par ailleurs, des militants d'extrême gauche. Alors que le discours historien est spontanément politique (de droite... de gauche...), en géographie, le même professeur évacue le politique, et ce pour des raisons qu'il ne perçoit pas, car elles sont difficiles à saisir. Pour y parvenir, il faudrait qu'il puisse poser les problèmes politiques en fonction des multiples configurations spatiales et aux diverses échelles de la spatialité différentielle. Mais la formation qu'il a reçue à l'Université, avec les concepts-obstacles de la géographie vidalienne, l'en empêche, et l'absence de référence à une quelconque pratique, comme l'y incitent les programmes d'enseignement, fait qu'il peut continuer d'ignorer ce blocage. Lorsqu'il veut parler politique, il ne parvient pas à le faire sans se couper du discours qu'il tient en tant que professeur de géographie. Pas plus que le professeur, les élèves et les étudiants ne saisissent comment, pourquoi le discours géographique scolaire et universitaire fonctionne comme une procédure d'exclusion du politique ; aussi leurs réactions n'en sont-elles que plus confuses et que plus hostiles. C'est comme si quelque chose leur était volé, mais ils ne savent pas ce que c'est. Plus ils s'intéressent aux problèmes politiques de notre temps et plus ils se sentent frustrés, mal à l'aise. Quant aux professeurs, ils sont profondément malheureux et ils cherchent à faire le moins de « géo » possible et passent aux sciences sociales ou à l'écologie qui ont le prestige du discours politique.

En fac, parmi les étudiants d'histoire, encore obligés de faire de la géo, les militants manifestent leur hostilité en termes politiques : « La géo, science réactionnaire ! » Ils constatent que la plupart des « enseignants de géo » éludent la politique, même ceux de « gauche » (aussi on en vient même à douter de la sincérité de leurs opinions). Mais ni les uns ni les autres ne comprennent vraiment pourquoi, car l'analyse de la spatialité différentielle n'est pas chose facile. On pressent ou l'on constate la mystification, mais l'on ne voit pas encore ses procédés.

Les débuts d'une grande polémique épistémologique

Cette mise en cause, cette hargne à l'égard de la géographie ne sont plus seulement le fait d'élèves ou d'étudiants qui sont contraints d'apprendre de la géo. Elle se manifeste aussi dans des disciplines universitaires où l'on avait jusqu'alors tenu la géographie dans une complète indifférence, souvent teintée de dédain. Depuis quelques années, l'indifférence fait place, de plus en plus souvent, à une agressivité méprisante. Cet état d'esprit se trouve principalement dans les disciplines qui ont étendu et appliqué leurs préoccupations spécifiques à la prise en considération de l'espace : chez les économistes qui se sont mis à l'économie spatiale et à l'analyse des « régions », chez les sociologues qui, dans l'étude de l'« espace social », dilatent leurs discours à coups d'allégories spatiales ; chez les écologistes, très à la mode depuis peu, qui se sont emparés des rapports homme-nature ; chez les urbanistes qui dissertent sur des espaces bien au-delà des banlieues, et chez certains historiens qui veulent étudier l'histoire immédiate (sans souci du « recul historique ») et qui se lancent eux aussi avec la géo-histoire, dans le discours sur l'espace. Jamais on a tant écrit à propos de l'espace. Or ce sont particulièrement ceux qui « exploitent » désormais diverses parties du domaine que les géographes se croyaient réservé (sans avoir prêté grand intérêt à ces champs laissés jusqu'alors en friche) qui deviennent les plus hargneux à l'égard de la géographie. Au premier abord, cette acrimonie pourrait être l'effet des luttes d'influence (ne serait-ce que pour se répartir les maigres budgets universitaires). A mieux y regarder, les choses ne sont pas si simples. L'agressivité méprisante de nombreux spécialistes des sciences sociales se manifeste dès que leurs discours font l'objet de remarques de la part de géographes, surtout si elles viennent des géographes qui ont entrepris une analyse critique de leur discipline et de ses carences.

Car, paradoxalement, c'est souvent avec la géographie la plus « traditionnelle » que s'accordent le mieux tant de brillants discours que sociologues, économistes, écologistes tiennent à propos de l'espace, car ils se réfèrent, sans y prendre garde, aux façons de voir (ou de ne pas voir) qui leur ont été inculquées autrefois dans l'enseignement secondaire, et qui continuent d'être réimposées par les images de la géographie-spectacle, multipliées par les médias. Et c'est lorsque des géographes en viennent à poser un certain nombre de problèmes liés à l'analyse de l'espace, que la géographie, jusqu'alors tolérée, commence à être récusée par les spécialistes des « sciences sociales » en tant que discours pédagogique imbécile, comme si elle ne devait être qu'imbécile.

Mais ce sentiment de malaise à l'égard de la géographie, surtout lorsqu'elle commence à sortir de l'anesthésie, ce sont aussi, il ne faut pas s'y tromper, des économistes, des sociologues de valeur, marxistes ou très influencés par le marxisme qui l'éprouvent. Sans doute, leur acrimonie traduit dans un premier temps le dépit d'avoir à se rendre compte qu'ils ont été dupés, que les raisonnements géographiques sont moins élémentaires qu'ils ne le pensaient. Elle reflète aussi un sentiment d'inquiétude ; inquiétude d'avoir à se rendre compte que les termes vagues et combien innocents, en apparence, dont on dispose pour évoquer la spatialité des phénomènes naturels, politiques, économiques et sociaux sont élastiques et glissants, qu'ils font déraper les raisonnements les plus soucieux de rigueur conceptuelle ; inquiétude d'avoir à constater que néanmoins, et pas seulement en raison de l'influence des mass media, c'est de plus en plus à des représentations spatiales que l'on est obligé de recourir, même si on les devine mystificatrices, pour rendre compte aujourd'hui des pratiques sociales les plus superflues, comme des phénomènes les plus graves. C'est ainsi qu'on se réfère à l'espace pour exprimer le « sous-développement » (posé en termes de *pays* développés — *pays* sous-développés) ; l'impérialisme est représenté par l'allégorie spatiale du « centre » et de la « périphérie ». La prolifération des termes qui font référence à des espaces de toute dimension, la multiplicité des images qui les montrent avec une gamme de connotations extrêmement variées, traduisent l'absence d'un concept d'espace méthodiquement construit et en même temps sa nécessité. Tout se passe comme si les réflexions qui auraient dû aboutir à la production de ce concept d'espace avaient été bloquées, en raison de la gravité de l'enjeu politique et idéologique, par un refus collectif et inconscient d'y réfléchir. Des polémiques quant à l'appropriation de l'espace, Dieu sait s'il y en a eu et s'il y en a encore, entre les Etats comme entre les membres de différentes classes, mais ces polémiques n'ont pas fait avancer la réflexion sur l'espace. Peut-être parce que les différents prétendants se réfèrent, malgré leur antagonisme, à une même conception de l'espace, ce qui laisse complètement de côté le problème de la spatialité différentielle. Toujours est-il que c'est aujourd'hui seulement que l'on commence à prendre conscience plus ou moins clairement que ces multiples termes et images, commodes, indispensables ou chargés de valeur esthétique qui prolifèrent depuis quelques décennies, forment un ensemble mystifiant. C'est cette prise de conscience qui provoque cette crise de la géographie.

Si une géographie (celle des professeurs), après avoir été longtemps négligée, est aujourd'hui rejetée par les élèves (leurs motivations étant évidemment fort confuses) et si elle commence à être mise en cause par des spécialistes d'autres disciplines (sans qu'ils y voient encore très clair), c'est que non seulement elle ne paraît plus capable de donner une description du monde qui satisfasse à nos préoccupations actuelles, mais aussi parce qu'on en vient à se rendre compte encore très confusément qu'elle est une sorte d'écran qui empêche d'appréhender convenablement des problèmes graves dans leurs configurations spatiales, et l'on pressent maintenant qu'elles en sont une caractéristique primordiale, car la plus stratégique.

Les mass media, qu'ils reproduisent inlassablement les images d'une géographie-spectacle ou qu'ils diffusent des informations qui proviennent de tous les points de la planète, contribuent largement à cette prise de conscience. Cette imprégnation de la culture sociale, par des images spatiales et des éléments d'un savoir géographique (ce qui est historiquement un phénomène nouveau), résulte beaucoup des artifices de la mode et du spectacle (y compris dans l'orchestration du thème nature-pollution) ; mais elle traduit aussi l'ampleur croissante de la crise dialectique globale qui se pose de plus en plus en termes géographiques.

Pour les géographes, cette crise de la géographie, son discrédit paraissent négatifs, cela semble marquer la fin de leur rôle ; ce dénigrement aveugle est particulièrement sensible et pénible pour ceux d'entre eux qui enseignent la géographie dans les collèges et les lycées. Et pourtant cette crise de la géographie peut avoir des effets extrêmement positifs et pas seulement pour les géographes. En effet, elle annonce la liquidation non pas de *la* géographie, mais d'*une* géographie, d'une forme particulièrement mystificatrice de discours à propos de l'espace, au point d'apparaître comme un savoir parfaitement inutile où il n'y a rien à comprendre. Ce n'est pas tant parce que ce discours est surtout (mais pas seulement) celui des professeurs qu'il est mystifiant (aussi bien pour eux-mêmes que pour ceux qui l'écoutent), mais pour des raisons qui les dépassent de beaucoup et qui ont été le fait de la société tout entière, où la réflexion sur l'espace a été longtemps bloquée. La crise de la géographie des professeurs indique que les choses sont en train de changer, pour eux et pour tout le monde.

Savoir penser l'espace pour savoir s'y organiser, pour savoir y combattre

Le développement du processus de spatialité différentielle lié aux transformations économiques, sociales, culturelles et politiques, surtout depuis le XIXe siècle, se traduit par la prolifération de toutes sortes de représentations spatiales, plus ou moins confuses, qui ont des liens plus ou moins lâches avec diverses pratiques, ou qui sont des images imposées par les mass media. L'enchevêtrement de ces représentations, dans l'esprit des gens, fait qu'il leur est de plus en plus difficile de s'y retrouver, alors que c'est de plus en plus nécessaire, ne serait-ce qu'en raison de la multiplication des phénomènes relationnels. Il importe donc de disposer d'une méthode pour y voir plus clair et d'un outillage d'idées pour mettre de l'ordre dans les embrouillements de la spatialité différentielle.

Tout d'abord, pour commencer à sortir du flou et de la confusion, on peut considérer les multiples représentations spatiales, comme autant d'*ensembles* (et sous-ensembles) qui ont chacun une certaine configuration spatiale. Chacun de ces *ensembles spatiaux* est constitué par des *éléments* qui ont entre eux des *relations* plus ou moins complexes.

Le processus de spatialité différentielle correspond à la nécessité de se référer à des ensembles de plus en plus nombreux (plus ou moins mal construits) pour pouvoir s'orienter, aller travailler, se déplacer, se distraire, concevoir une stratégie, etc. Ils constituent un outillage indispensable pour penser et pour s'exprimer. Alors qu'autrefois chaque homme, vivant en autosubsistance, pouvait rendre compte (et se rendre compte) de la plupart de ses pratiques, en se référant à un très petit nombre d'ensembles spatiaux (pour l'essentiel le territoire de sa communauté) ; aujourd'hui, il faut pour vivre en société utiliser un très grand nombre d'ensembles spatiaux, plus ou moins bien construits. Il s'agit d'un véritable outillage conceptuel, qui présente de grandes différences de richesse et d'efficacité selon les milieux sociaux. C'est dans les classes dirigeantes qu'il est, si l'on peut dire, le mieux pourvu, le plus diversifié et le mieux structuré. En revanche, c'est dans les catégories sociales les plus défavorisées qu'il est le plus confus et le moins différencié. Ces différences correspondent à de grandes inégalités d'efficacité sociale. Il y a ceux qui savent concevoir leur action sur de vastes espaces et qui en ont les moyens, et il y a les « paumés » qui, au sens propre, ne savent plus où ils en sont.

Ces différents outillages conceptuels qui servent à penser l'espace et à appréhender avec plus ou moins de clairvoyance la spatialité différentielle, on peut imaginer de les représenter en cartographiant ou en esquissant, sur une série de feuilles de papier transparent superposées les unes aux autres, les divers ensembles spatiaux dont une personne ou un groupe de personnes, a plus ou moins l'idée, soit qu'elles s'y réfèrent pour telle ou telle pratique, soit qu'elles les imaginent sous l'influence des médias. Chaque ensemble spatial que l'on estime devoir distinguer est représenté sur la feuille transparente par ses contours plus ou moins flous (et le cas échéant par sa structure spatiale interne, lorsqu'il est caractérisé par un phénomène de polarisation). La superposition de toutes les feuilles, de toutes ces configurations spatiales (au dessin de surcroît le plus souvent fort imprécis), donne en transparence une image assez suggestive de l'outillage conceptuel extrêmement confus de la plupart des gens, pour toutes les formes de spatialité qui ne correspondent pas à leur expérience concrète dans le cadre d'espaces très limités. Se confondent pêle-mêle des représentations spatiales qui correspondent à des territoires dont les tailles sont extrêmement inégales. Ainsi s'explique dans une grande mesure cette myopie générale, ce comportement de somnambules canalisés par les poteaux indicateurs, téléguidés par l'emprise des différents réseaux, et par tous les signes qui codifient non seulement la façon de se déplacer, mais aussi les façons d'envisager l'espace.

Mais il est possible de transformer, dans une plus ou moins grande mesure, cet enchevêtrement de représentations confuses d'espaces de tailles extrêmement dissemblables en un outillage conceptuel clairement structuré qui permet d'appréhender efficacement la spatialité différentielle. Ce sont tout d'abord les exigences de la pratique (par les leçons tirées des erreurs de parcours par exemple) qui imposent la clarification et la structuration d'un certain nombre d'ensembles spatiaux. Plus une pratique porte sur des distances considérables et plus elle impose à ceux qu'elle concerne directement (au moins pour des fonctions de responsabilité) le classement d'ensembles spatiaux qu'il faut prendre en considération, en fonction de différents niveaux d'analyse et leur articulation les uns aux autres : c'est le cas des pilotes d'avion, qui doivent combiner des pratiques à grande échelle (au décollage et à l'atterrissage) à l'échelle moyenne (pour les procédures d'approche) et à très petite échelle (pour le vol en altitude). Plus la pratique est globale et touche à des activités très diversifiées et plus elle doit se référer à une connaissance la plus claire possible et la mieux articulée possible, d'un très grand nombre d'ensembles spatiaux ; ils correspondent chacun à la configuration spatiale des multiples activités qu'il faut prendre en compte. La pratique politique (c'est-à-dire l'exercice du pouvoir) est par excellence celle qui exige, depuis très longtemps, de se référer à une spatialité différentielle bien structurée, qui exige la délimitation la plus précise des ensembles spatiaux les plus variés. C'est bien pour ces raisons que, depuis des siècles, les classes dirigeantes font établir des cartes à différentes échelles pour avoir une idée précise de la complexité des territoires sur lesquels s'exerce leur pouvoir et ceux sur lesquels il pourrait se projeter, l'articulation des différents niveaux d'analyse s'effectuant empiriquement par l'action et la pratique du pouvoir.

En revanche, pour la majorité des citoyens, leurs activités s'inscrivant dans plusieurs espaces dissociés (ils doivent donc se référer à une multiplicité de représentations spatiales enchevêtrées), un savoir pour les aider à penser l'espace devient de plus en plus nécessaire, puisque, eux, ne peuvent se guider par la pratique du pouvoir.

De même qu'il a fallu construire un savoir théorique pour comprendre les structures du système capitaliste, à partir du moment où les crises dues au développement de ses contradictions commencèrent à perturber son essor, et surtout à partir du moment où la classe ouvrière eut besoin d'une analyse théorique pour mener une action révolutionnaire,

— de même qu'il a fallu, malgré l'opposition d'une partie des classes dirigeantes, qu'un savoir-lire-écrire-compter soit diffusé dans des couches sociales de plus en plus larges, en raison des luttes politiques et des exigences de la technique et de la pratique sociale,

— de même il va falloir sans doute que se construise un savoir théorique permettant d'articuler les problèmes d'envergure planétaire à ceux de la vie locale en passant par le niveau de l'Etat.

Il va falloir que ce savoir penser l'espace comme le savoir lire les cartes se diffusent largement, en raison des exigences de la pratique sociale, puisque les phénomènes relationnels (à courte et longue distance) tiennent une place de plus en plus grande.

Cependant, il est bien évident que, pour avancer dans ce domaine, on ne peut utiliser la « géographie des professeurs » telle qu'elle est actuellement, coupée de toute pratique et se refusant à toute réflexion épistémologique. Il faut une autre géographie qui soit une théorie des ensembles spatiaux et une praxis de l'articulation des différents niveaux d'analyse.

Dans ce domaine de réflexion, le concept-obstacle de la « région » vidalienne a exercé à plein ses effets de blocage, et cela a paralysé les recherches théoriques qui auraient permis de rendre compte de façon rationnelle et efficace des embrouillements de la spatialité différentielle. Non seulement celle-ci n'a pas été vue (on pouvait d'autant mieux éviter de la voir en s'abstenant de toute référence à une quelconque pratique), mais elle a été *niée* par l'inculcation d'une représentation du monde faite d'une série de *cases* bien closes, soi-disant données par la nature et l'histoire, par Dieu une fois pour toute et nettement séparées les unes des autres : les régions, chacune désignée par un nom propre pour mieux accréditer leur « individualité ».

Si l'on veut aider les gens à sortir du désarroi qu'ils éprouvent dans l'enchevêtrement de la spatialité différentielle, de leur dénuement dès qu'il s'agit de s'orienter ou de raisonner sur un problème spatial, même élémentaire, c'est une autre représentation du monde qu'il faut construire et diffuser. La représentation d'un espace cloisonné, un peu comme une série de boîtes, formé des régions placées sur un même plan les unes à côté des autres, idée que donne la géographie vidalienne, doit être combattue. Il faut, pour commencer à faire comprendre la spatialité différentielle, imaginer ce que donnerait la superposition d'un grand nombre de puzzles de taille inégale découpés, très différemment les uns des autres, dans des feuilles transparentes. A chaque puzzle correspond une série d'ensembles spatiaux dont le découpage est différent de celui d'autres séries. Les différences de taille entre les puzzles correspondent aux différents niveaux d'analyse.

Il faut faire comprendre aux gens que, lorsqu'ils sont à un endroit, ils ne sont pas dans une seule case, dans une seule « région ». Cet endroit relève d'un grand nombre d'ensembles spatiaux très différents les uns des autres, tant du point de vue qualitatif que par leur configuration (ainsi on est *à la fois* dans telle commune de tel département, dans l'aire d'influence de Marseille, dans une région de collines près de la vallée du Rhône, dans la zone de climat méditerranéen, dans l'espace irrigué par le canal Bas-Rhône-Languedoc, etc.). Ces considérations peuvent paraître fort éloignées des besoins de la pratique. Il n'en est rien. Ce procédé pédagogique des puzzles superposés peut sembler bien naïf, bien simpliste, mais c'est l'introduction à un problème stratégique fondamental : si, en un endroit donné, on n'est pas dans une seule case mais on relève d'un grand nombre d'ensembles spatiaux, il faut être attentif à chacun d'eux et savoir que l'on est inscrit dans des configurations spatiales très différentes à l'égard desquelles il faut faire preuve de vigilance. Appréhender la spatialité différentielle et chercher à la structurer, c'est devoir remplacer une représentation du monde faite de données et de démarcations évidentes, par une représentation du monde « *construite* » par la combinaison d'ensembles spatiaux que l'on forme intellectuellement et qui sont autant d'outils différenciés pour appréhender progressivement les multiples formes de la « réalité ». Il n'est plus question de « lire tout simplement dans le grand livre ouvert de la nature », mais il faut mettre en œuvre tout un outillage conceptuel (plus ou moins efficace ou défectueux) pour que se révèlent peu à peu des réalités qui n'apparaissent pas « à l'œil nu ».

Il importe que les gens soient mieux armés, aussi bien pour organiser leur déplacement que pour exprimer leurs vœux en matière d'organisation spatiale. Il importe qu'ils soient capables de percevoir et d'analyser suffisamment vite les stratégies de ceux qui sont au pouvoir, au plan national comme au plan international.

Il importe enfin qu'ils soient en mesure de comprendre les formes si différentes selon les lieux que prend la crise dialectique globale, dans son développement historique et sa différenciation spatiale, au niveau planétaire, national ou régional.

Bien sûr, même avec un apprentissage de la géographie, transformée par ce souci de la pratique et de la théorie, les citoyens n'accéderont pas d'eux-mêmes de sitôt aux réflexions spatiales les plus complexes, celles qui touchent aux problèmes politiques posés à l'échelle planétaire, en raison de la multiplicité des ensembles spatiaux qu'il faut prendre en considération. Pourtant ces problèmes planétaires jouent un rôle de plus en plus grand et de plus en plus rapide, dans l'évolution des situations nationales, régionales et même locales. Les citoyens plus politisés, les militants, doivent faire une analyse spatiale de la crise à différentes échelles, pour aider à la prise de conscience collective des problèmes.

Pour aider les citoyens là où ils vivent à prendre conscience des causes fondamentales qui déterminent l'aggravation des contradictions qu'ils subissent directement, il faut d'abord faire l'analyse en termes concrets et précis de ces contradictions telles qu'elles se manifestent au niveau local, sur les lieux du travail et de la vie quotidienne, compte tenu des conditions écologiques qui sont souvent un facteur d'aggravation. Ensuite il est possible de montrer avec précision en quoi ces contradictions locales, qui peuvent être tout à fait exceptionnelles, relèvent d'une situation « régionale » d'ensembles spatiaux plus vastes qui se caractérisent par des contradictions dont il convient de rendre compte en termes plus abstraits et plus généraux. Il est alors possible de passer à l'analyse nationale et internationale, dont les contradictions doivent être exprimées à un niveau de plus en plus poussé d'abstraction, tout en restant solidement articulées à l'analyse des contradictions au niveau régional et local dont les gens ont, au moins pour une part, l'expérience concrète.

Le monde est beaucoup plus compliqué qu'on n'a voulu le croire

Entre 1976, date à laquelle a été écrit ce livre, et 1985, où paraît cette troisième édition, il y a eu d'importants changements en France et dans le monde, qui obligent à se rendre compte que les choses sont plus compliquées qu'on n'a souvent voulu le croire.

Dans le chapitre « Pour une géographie de la crise », j'évoquais brièvement, en 1976, un certain nombre de symptômes très généraux de cette crise ; elle pouvait alors être principalement imputée au développement de contradictions économiques, sociales, démographiques, écologiques, politiques, culturelles, sous l'effet d'une croissance économique qui durait depuis près de trente ans. La crise iranienne, accélérée par l'énorme augmentation des revenus pétroliers depuis 1973, en fut un des exemples les plus spectaculaires, un des derniers aussi. Aujourd'hui, le marasme économique est devenu quasi général, et le plus évident symptôme de la crise (qui n'est plus de croissance) est l'énorme augmentation du nombre des chômeurs dans les pays industriels capitalistes (sauf au Japon et aux Etats-Unis depuis quelque temps). Mais, alors qu'on croyait que les Etats communistes étaient, de par leurs structures, à l'abri de telles vicissitudes, il apparaît qu'ils connaissent de très graves difficultés économiques, qu'ils ne sont pas à l'abri du chômage. Il est vrai que leurs dirigeants ont noué des relations étroites avec les multinationales capitalistes, ce qui entraîne des contradictions qu'on ne croyait pas possibles.

Les questions géopolitiques apparaissent plus importantes que jamais, maintenant que les discours marxistes économicistes se révèlent incapables de rendre compte de la situation mondiale. Ils affirmaient que la suppression de la propriété privée des moyens de production est la transformation primordiale des sociétés, mais ils restent sans voix devant les agissements des minorités privilégiées des Etats communistes, comme devant le conflit entre la Chine, le Cambodge et le Viêt-nam, tout comme ils étaient restés muets quant aux causes profondes de l'antagonisme entre l'URSS et la Chine, et sur les raisons de l'alliance entre cette dernière et les Etats-Unis. De même que les discours marxistes ont été incapables d'expliquer les massacres perpétrés au Cambodge par les « Khmers rouges » sur leurs propres concitoyens, notamment sur ceux qui avaient combattu l'impérialisme américain. Les principes idéologiques, notamment le fameux « internationalisme prolétarien », apparaissent beaucoup moins importants que le désir d'hégémonie et la volonté de contrôler des positions stratégiques.

En 1976, on était encore dans la phase de « coexistence pacifique » entre les deux superpuissances ; celle-ci n'empêchait pas la course aux armements, mais elle n'avait guère été affectée par l'issue (1975) de la guerre du Viêt-nam, où l'armée américaine n'avait pas pu l'emporter ni contenir la poussée nord-vietnamienne, soutenue alors par tous les Etats du « camp socialiste ». Depuis, les conflits armés se sont multipliés en Asie, en Afrique, en Amérique latine, et les tensions entre les deux superpuissances se sont considérablement accrues. En Indochine, la guerre a repris, ouverte ou sournoise, mais, cette fois, entre Chinois et Vietnamiens. Si, en 1976, on pouvait évoquer l'Afghanistan comme lieu de tourisme à la mode, ce pays connaît depuis décembre 1979 une invasion de « touristes » soviétiques qui se sont ainsi avancés vers le golfe Persique, près duquel Irakiens et Iraniens, sunnites contre chiites, se livrent une sanglante guerre d'usure. Une nouvelle explosion se prépare au Proche-Orient, où le Liban est devenu le lieu d'affrontement de toutes les subversions.

En Amérique latine, le Salvador est le « point chaud » le plus spectaculaire, et pas seulement en raison des risques d'intervention américaine à Cuba et au Nicaragua. Mais il ne faut pas oublier les atrocités perpétrées quotidiennement au Guatemala et les opérations antiguérilla en Colombie, ni que les Soviétiques ont commercé benoîtement avec la junte des tortionnaires argentins et que Pékin soutient officiellement Pinochet. En Afrique, l'URSS coopère avec Khadafi dans ses entreprises d'expansion de l'intégrisme islamique, au Tchad ou ailleurs, et elle aide le gouvernement progressiste éthiopien à finir d'écraser les progressistes d'Erythrée. Il y a aussi le complexe conflit du Sahara occidental et ceux d'Afrique australe, où les partisans de l'apartheid poussent des ethnies depuis longtemps rivales à de nouveaux conflits.

Et l'Europe ? Pendant vingt-cinq ans, en vertu de la « coexistence pacifique », elle a été à l'écart des affrontements entre superpuissances, qui opéraient surtout dans le tiers monde. Aujourd'hui, il semble qu'elle soit redevenue un des théâtres majeurs de la nouvelle guerre froide, comme le prouve l'augmentation du nombre des missiles soviétiques pointés vers l'Europe occidentale. Pour dissuader l'armée américaine de mettre en place un nombre équivalent de fusées tournées vers l'Est, de grandes manifestations pacifistes ont eu lieu, en 1981, surtout en Allemagne de l'Ouest, mais il n'y en a guère eu, en décembre 1981, pour protester contre le coup d'Etat militaire en Pologne qui a étouffé le grand mouvement des syndicats Solidarité. Ils attestaient de la faillite économique et politique du régime communiste, malgré l'aide financière massive des banques occidentales. Mais il ne s'agit pas seulement de la Pologne : la situation économique n'est pas brillante en Tchécoslovaquie et elle est catastrophique en Roumanie, où la direction du parti communiste est devenue une entreprise familiale. En URSS, ce qui ne relève pas directement de la police et de l'armée apparaît de plus en plus entravé par différents facteurs d'inefficacité, et le plus grand Etat communiste doit faire de plus en plus appel aux capitaux occidentaux, à la technologie des multinationales ; les livraisons de céréales américaines pallient le marasme consternant de l'agriculture, tandis que se perpétue le système du goulag. En Chine, qui fut présentée comme une autre voie de développement socialiste, on reconnaît, depuis la mort de Mao, les ravages provoqués par une décennie de « Révolution culturelle », et le gouvernement fait lui aussi appel aux firmes capitalistes et aux céréales américaines pour essayer de réparer le gâchis laissé par les luttes idéologiques. L'agriculture a été décollectivisée.

Toutes ces constatations, tous ces événements, tous ces changements, la prise en considération de phénomènes anciens trop longtemps occultés par les traditionnels présupposés laudatifs de la gauche à l'égard du « système socialiste » (tels que : celui-ci assurerait une gestion plus rationnelle de l'économie et une solution plus facile des contradictions) obligent à se poser des problèmes nouveaux. Leur analyse relève bien sûr de ce qu'on appelle les sciences sociales, et elle importe aussi aux géographes, qui doivent notamment contribuer à dénoncer la fonction mystificatrice du mot « pays », tant utilisé dans tous les discours politiques pour escamoter les contradictions au sein de chaque formation sociale.

En France aussi, beaucoup de choses ont changé depuis la rédaction de ce livre : la crise est arrivée et, avec elle, l'énorme augmentation du chômage. L'élection de François Mitterrand à la présidence de la République et la victoire électorale du parti socialiste ont été évidemment des changements de grande importance et ils posent notamment des problèmes géopolitiques nouveaux. En effet, ceux-ci ne se posent pas seulement entre les Etats, mais aussi dans le cadre de chacun d'eux. Les changements institutionnels qui doivent donner une nouvelle ampleur à la politique de « régionalisation » posent plus que jamais le problème de la *région* (cf. p. 43-50) et l'idée-force de la géographie vidalienne : celle de régions conçues comme des individualités évidentes, ou des personnalités indiscutables, risque de conduire, si l'on n'y prend pas garde, à de dangereux embarras et de permettre à certains de mettre en cause l'unité nationale. Par ailleurs, ce n'est pas parce que la gauche contrôle présentement une certaine partie des pouvoirs politiques qu'il n'y a plus de contradictions entre les projets élaborés au niveau de l'Etat et, au niveau local, les conditions de vie des différents groupes de citoyens.

On en a un exemple particulièrement frappant avec le problème de la localisation des centrales nucléaires. Il apparaît qu'elles sont nécessaires, au niveau national, pour faire face aux besoins énergétiques, en dépendant moins des importations que contrôlent les multinationales. Mais, autour des sites choisis pour l'implantation de ces centrales, l'inquiétude est grande, et ceux qui manifestent pour réclamer l'arrêt de ces chantiers qui bouleversent les conditions locales réclament un changement global de la société tout entière, ce qui n'est guère possible, même à moyen terme. Pour éclaircir de tels débats et les rendre plus positifs, il est nécessaire de distinguer différents niveaux d'analyse spatiale. C'est aux géographes d'aider l'ensemble des citoyens à mieux savoir penser l'espace.

Il faut dépasser la crise de la géographie

La corporation des géographes paraît-elle s'engager sur cette voie ? Au premier abord, cela ne semble guère. Cependant, il est incontestable que les choses bougent en géographie, sous l'effet de diverses tendances, et la revue *Hérodote* y contribue pour une bonne part. Nombre de géographes reconnaissent que leur discipline est en crise et s'inquiètent de son démantèlement ou de sa disparition. Les économistes, les sociologues ne se prétendent-ils pas les spécialistes de l'analyse de l'*espace social* ? De surcroît, l'écologie, nouvelle discipline à la mode, s'est lancée, elle aussi, dans l'étude des relations entre les activités humaines et la nature, domaine que les géographes croyaient être le leur par excellence. Enfin, pour le grand public, le mot géographie évoque de plus en plus de fastidieuses contraintes scolaires, et nombre d'historiens fort influents dans les médias gardent une tenace rancune des coupes géologiques auxquelles ils ont dû se soumettre pour la licence ou la préparation de l'agrégation. Aussi les géographes se sentent dépassés, frustrés, dépossédés, dénigrés. Certains se demandent ce qu'ils sont, à quoi ils servent, et l'on se rend compte qu'il ne suffit pas de « faire de la géographie », mais qu'il faut peut-être se poser — enfin — les questions : « Qu'est-ce que la géographie ? A quoi sert-elle ? A quoi peut-elle servir ? » Les premières réponses ont été assurées et naïves, mais on s'est bien rendu compte qu'elles n'étaient pas suffisantes et qu'elles faisaient sourire tous ceux qui « causent espace » avec plus de brio que les géographes. Certains, à l'imitation des Anglo-Saxons, se sont alors lancés dans la formulation mathématique pour prouver qu'ils sont vraiment des « scientifiques » ; c'est, disent-ils, « la nouvelle géographie », mais, pour eux, les problèmes de fond n'en sont pas pour autant élucidés et le malaise des géographes ne s'atténue pas, bien au contraire, car ils se rendent bien compte que sur cette voie les mathématiciens n'ont guère besoin d'eux. Or, il y a une solution à cette crise et, pour l'ensemble des citoyens, il est nécessaire que le raisonnement géographique, le savoir-penser l'espace se développent et sortent de l'impasse dans laquelle s'est fourrée la corporation universitaire en consentant, sous prétexte de scientificité, une réduction considérable de sa raison d'être et de son rôle social. Il s'agit, dans une grande mesure, de renouer avec l'œuvre d'Elisée Reclus, que les géographes français ont oubliée depuis trois quarts de siècle.

Son œuvre — dont les géographes français devraient être très fiers — donne la preuve que la prise en compte des problèmes politiques ne conduit pas nécessairement au dévoiement, au seul profit d'un pouvoir, qu'elle élargit de façon décisive la représentation du monde des géographes, qu'elle leur permet d'y voir plus clair et de mieux comprendre à quoi ils servent, mais aussi à quoi ils peuvent servir. S'il a donné une grande place aux problèmes politiques, Reclus n'a pas pour autant voulu faire — et n'a pas fait — une géopolitique, ni une géographie politique, ni même la « géographie sociale » qu'il évoque de temps à autre, mais une géographie globale. Sa conception de la géographicité intègre non seulement les phénomènes économiques, sociaux, culturels, politiques et militaires, mais aussi les différents phénomènes « physiques » et écologiques, le tout envisagé en fonction des transformations du monde, les évolutions lentes et les changements rapides.

Parce qu'il a horreur de l'injustice et de l'oppression, parce qu'il souhaite un monde plus juste et parce qu'il pense que la géographie est un outil efficace pour comprendre le monde,

Reclus s'efforce, en tant que géographe, d'analyser les structures des Etats, la rivalité de leurs armées, mais aussi les agissements de leurs polices — au moyen d'un grand nombre de cartes. Mais Reclus montre aussi qu'il n'y a pas que l'Etat et ses appareils, et qu'il ne faut pas passer sous silence les luttes que se livrent les peuples dominés et les formes d'oppression que les pauvres exercent sur ceux qu'ils peuvent exploiter, en particulier les femmes et les enfants.

Dans l'évolution de la géographie, l'œuvre de Reclus et tout particulièrement *L'Homme et la Terre*[1] marque un tournant décisif ; avant lui, cette géogaphie que j'appelle fondamentale était essentiellement liée aux appareils d'Etat en tant qu'outil de pouvoir, mais aussi en tant que représentation idéologique propagandiste. Non seulement Reclus a développé l'efficacité de cet outil en élargissant la conception de la géographicité, en prenant en considération des phénomènes négligés jusqu'alors, en insistant notamment sur les contradictions du *progrès*, mais surtout il a retourné cet outil contre les oppresseurs et les classes dominantes ; ce faisant, il a fait progresser le raisonnement géographique, en tant que méthode d'analyse objective, scientifique, d'un large pan de la réalité. C'était il y a quatre-vingts ans ; il serait temps que les géographes en tiennent compte aujourd'hui.

1. Elisée RECLUS, *L'Homme et la Terre*, morceaux choisis présentés par Béatrice Giblin, La Découverte/Maspero, Paris, 1982.

Les géographes, l'action et le politique*

En août 1984, s'est tenu à Paris le XXVe congrès de l'Union géographique internationale, organisation qui rassemble, tous les quatre ans, des délégations venues du monde entier. Pour les géographes français, c'est un événement puisqu'un congrès de l'UGI ne s'était pas tenu à Paris depuis cinquante-trois ans !

On peut penser que de telles assemblées sont assez académiques. Mais il n'est pas inutile que les représentants des différents comités nationaux de géographie se rencontrent. En effet, selon les pays, les conceptions que l'on a de la géographie sont fort dissemblables, tout comme les conditions culturelles et politiques dans lesquelles les géographes exercent leur métier. Ainsi les géographes soviétiques, par exemple, se préoccupent principalement de ce que l'on appelle la « géographie physique » et leur géographie est proche des sciences naturelles. En revanche, les géographes nord-américains s'intéressent surtout aux phénomènes qui relèvent de la « géographie humaine » et ils considèrent que la géographie est une science sociale.

Une des caractéristiques de l'école géographique française, qui est d'ailleurs l'une des plus anciennes, est de chercher à prendre en compte aussi bien les phénomènes « physiques » que les phénomènes « humains ». Une telle attitude, si l'on y réfléchit, n'est pas sans poser de difficiles problèmes épistémologiques, en raison des grandes différences de méthodes et de points de vue qui existent entre les sciences naturelles et les sciences sociales. Aussi, depuis près de vingt ans, les

---

* Editorial du numéro 33-34 d'*Hérodote*, avril-septembre 1984.

géographes français s'interrogent sur la validité de leur conception de la géographie et il se demandent si celle-ci est bien une science.

L'originalité de la revue *Hérodote*, dans ce débat, a été de changer l'approche première du problème : au lieu de continuer à se demander si la Géographie est une science ou à quelles conditions la géographie pourrait-elle être vraiment une science, *Hérodote* a d'abord posé une question apparemment innocente, mais, en vérité, primordiale : *A quoi sert la géographie ?*, c'est-à-dire quelles sont et quelles peuvent être les fonctions des géographes au sein de la société ?

Cette question a choqué de nombreux géographes, car de la façon dont elle a été posée, il y a huit ans, elle allait beaucoup plus loin que les discussions sur la géographie « appliquée » ou la géographie « active ». *Hérodote* a en effet souligné des problèmes épistémologiques et politiques fondamentaux, fort éloignés des préoccupations scientifiques habituelles et montré que les problèmes de la géographie ne concernent pas seulement les géographes et les spécialistes de diverses disciplines, mais aussi les hommes d'Etat et un grand nombre de citoyens, du moins ceux qui se posent des questions sur l'état du monde et l'organisation de leur pays, comme sur ce qui se passe dans la région où ils vivent et dans les lieux où ils travaillent et où ils habitent.

Durant ces dernières années, les positions d'*Hérodote* ont été attaquées « de droite » comme « de gauche » ; cela ne l'a d'ailleurs pas empêché de devenir une des plus importantes revues françaises de géographie, pour le volume de son tirage. Nous ne reviendrons pas ici sur des polémiques qui sont d'ailleurs pour la plupart dépassées, car nombre de malentendus se sont dissipés : ceux qui pensaient qu'*Hérodote* n'était qu'une revue « critique », visant surtout à donner mauvaise conscience aux géographes, se rendent progressivement compte des véritables objectifs de la revue : rappeler et démontrer que la géographie est, pour toutes les sociétés, un savoir fondamental.

Mais il ne s'agit pas de parler de la géographie comme s'il s'agissait d'une entité ou même d'une sorte de divinité dotée de sagesse et de pouvoirs, à l'instar de ces historiens, y compris les champions du « matérialisme historique » qui invoquent l'Histoire, ses « lois » et ses « jugements ». Dans notre propos, il s'agira surtout des géographes, car il ne suffit pas de s'interroger sur les caractéristiques de la géographie en regard de diverses sciences. Il importe de se préoccuper aujourd'hui du rôle que peuvent avoir les géographes, en cette fin du xxe siècle où l'aggravation rapide d'énormes problèmes exige que des actions de grande envergure soient menées avec plus d'efficacité et que les politiques tiennent davantage compte de l'extrême diversité des situations géographiques. D'où le titre de ce numéro d'*Hérodote*, « Les géographes, l'action et le politique ». Chacun de ces trois termes exige des explications et nécessite réflexions et il est logique de commencer par le premier.

Les géographes...

Ce n'est pas le souci d'une nuance de style qui nous incite à faire la distinction entre la Géographie et les géographes, mais parce qu'il faut se rendre compte que si *géographie* est un mot très fort (ne s'agit-il pas du monde ?), c'est aussi un mot très ambigu. A bien y réfléchir il apparaît que sa signification est triple et que ses trois sens, difficilement dissociables, sont chacun fort complexes. En effet géographie désigne tout à la fois :
— d'une part, des *réalités* extrêmement diverses qui, chacune, s'étendent plus ou moins largement à la surface du globe ; elles relèvent de catégories scientifiques très différentes, mais elles ont la caractéristique commune d'être cartographiables, c'est-à-dire d'être suffisamment différenciées spatialement et de ne pas être trop petites ; la dimension minimale étant en gros de l'ordre du mètre ;
— d'autre part, des *représentations* plus ou moins partielles de ces réalités ; les cartes sont les représentations géographiques par excellence, mais il n'est pas possible de considérer qu'elles sont le reflet, le miroir ou la photographie de la réalité [1]. Les

1. Chacun sait bien qu'une carte n'est pas le territoire, mais sa représentation construite à une certaine échelle de réduction. De surcroît, la carte n'est évidemment pas la représentation de la totalité du réel, de tout ce que l'on pourrait recenser, inventorier sur une portion de territoire. Ce qui figure sur une carte est le résultat d'une série de choix plus ou moins conscients, d'une part en fonction des possibilités graphiques, celles-ci étant dans une grande mesure déterminées par l'échelle, d'autre part, en fonction de certaines préoccupations particulières qui font que l'on représente seulement certaines catégories de phénomènes (d'où des cartes géologiques, des cartes climatiques, des cartes démographiques, etc.). Toute carte est enfin un document daté : non seulement parce que le monde change et que les phénomènes se transforment à un rythme plus ou moins rapide, progressivement ou brusquement, mais aussi parce qu'une carte résulte des techniques et des préoccupations d'une certaine époque.

cartes procèdent d'un certain nombre de *choix*, au sein de la réalité et plus encore les descriptions que les géographes font de telle ou telle portion de l'espace terrestre ;
— enfin, le mot géographie désigne, sans les nommer, *les géographes*, surtout dans les considérations à caractère plus ou moins épistémologique telles que « la géographie étudie... la géographie analyse... la géographie doit prendre en compte ». Mais pourquoi parlent-ils si rarement d'eux-mêmes ces géographes ? Pourquoi laissent-ils croire qu'ils se bornent à constater les réalités « géographiques » ? Pourquoi les géographes se dissimulent-ils derrière la Géographie ? Et d'abord, que sont ces géographes ? Une corporation particulière au sein de la communauté scientifique ? Les professeurs de géographie ? Ceux qui *font de la* géographie ? (formule étrange). Ceux dont la géographie est le métier ? Mais qu'est-ce que le métier de géographe ?

Pendant des siècles, les géographes ont été ceux qui construisaient les représentations du monde, ceux qui établissaient les cartes. Depuis la fin du XIXe siècle, ce n'est plus le cas ; la division du travail scientifique autonomise le rôle des cartographes et surtout depuis quelques décennies, les progrès de la photographie aérienne, puis plus récemment encore ceux de la télédétection couplés à ceux des ordinateurs permettent de dresser très rapidement les cartes de très divers phénomènes et même de leur évolution en temps réel ; ces mêmes ordinateurs traitent tout autant les résultats des recensements et enquêtes auxquels font procéder les appareils d'Etat et leurs administrations. Serait-ce au moment où les représentations géographiques atteignent un extraordinaire degré de précision et de rapidité par le développement des procédés de cartographie automatique que devraient disparaître les géographes ? Va-t-on vers une géographie sans géographe ?

Division du travail scientifique et raison d'être des géographes

Nombreux sont les spécialistes de très diverses sciences qui se demandent à quoi servent ces géographes qui paraissent seulement énumérer, compiler des rudiments tout à la fois de géologie et de démographie, de climatologie et de sociologie ? Dans la communauté scientifique, on en vient à penser que les géographes sont condamnés par les développements de la technique et par le progrès de la division du travail de recherche. On estime que la somme des résultats obtenus par diverses sciences, prenant chacune en compte un secteur précis de la réalité et qui, elles aussi, établissent des cartes (celles du géologue, du pédologue, du climatologue, du démographe, etc.) remplacerait avantageusement le discours des géographes.

Le rôle des géographes universitaires se réduirait-il donc à contribuer à la formation de professeurs de l'enseignement secondaire, du moins dans les pays où, comme c'est le cas en France, on enseigne *de la* géographie (formule combien ambiguë elle aussi) dans les collèges et les lycées ? En France, d'ailleurs, l'opinion considère la géographie essentiellement comme une discipline scolaire dont l'utilité n'est guère évidente. Les géographes récusent cette réduction de leur rôle et se plaignent souvent qu'il n'est pas reconnu à sa juste valeur par la communauté scientifique. Mais celle-ci qui n'a qu'une idée fort sommaire de la géographie (faite de souvenirs plus ou moins fastidieux de l'enseignement secondaire) estime au fond qu'ils ne font que constater et commenter des évidences. Cette appréciation péjorative du rôle des géographes n'est-elle pas la conséquence de leur propre discrétion et de l'usage allégorique qu'ils font eux-mêmes du mot géographie, confondant sous le même terme le monde, ses représentations, ceux qui les construisent et ceux qui les commentent ? Le discours gagne en ampleur mais il escamote le rôle des géographes.

Puisqu'ils ne construisent plus de cartes, puisque celles-ci prolifèrent, produites qu'elles sont désormais par les ordinateurs, puisque nombre de disciplines recourent elles aussi aux cartes, il faut se poser la question : quelle est, quelle peut être la véritable fonction des géographes aujourd'hui ?

Le rôle des géographes ne se bornait pas autrefois à établir des cartes, il ne se limite pas aujourd'hui à leur commentaire et surtout, ils ne se réfèrent pas à une seule carte, mais toujours à plusieurs. C'est de cette façon qu'ils construisent des *raisonnements géographiques*, non seulement en comparant les unes aux autres les représentations cartographiques propres à diverses catégories de phénomènes, mais aussi en combinant des cartes établies à des échelles différentes, depuis celles qui montrent l'ensemble du globe jusqu'à celles qui figurent une portion réduite de territoire. Ces raisonnements, qui peuvent relever de problématiques et de préoccupations très diverses, sont plus ou moins complexes et ils ne se réduisent pas à l'addition des connaissances produites par diverses sciences ou activités qu'ils utilisent ; ils apportent un supplément de connaissance qui est souvent fort important et quelquefois décisif à la compréhension de situations particulièrement compliquées.

Les véritables raisonnements géographiques sont beaucoup plus difficiles qu'on ne le croit habituellement dans la communauté scientifique et ils exigent pour être menés à bien de véritables spécialistes de l'analyse spatiale. Voilà ce que doivent être aujourd'hui les géographes, et leur fonction sociale et scientifique, *savoir penser l'espace terrestre*, est, nous le verrons, sans doute encore plus nécessaire aujourd'hui qu'autrefois. Le rôle des géographes est de rendre compte de l'enchevêtrement spatial de différentes catégories de phénomènes et de mouvements d'envergures diverses, sur des territoires d'inégale ampleur, de façon que les entreprises humaines puissent y être menées ou organisées plus efficacement.

Cependant, aujourd'hui, bon nombre de géographes ne sont pas conscients de cette fonction sociale qui est pourtant leur raison d'être. En effet, au sein de chacune des diverses « écoles géographiques » ou de chacune des corporations que forment les géographes dans les différents pays, il y a eu aussi, depuis quelques décennies, une accentuation de la division du travail scientifique. Celle-ci a été rendue possible par l'augmentation du nombre des géographes et rendue nécessaire par les progrès des diverses sciences avec lesquelles ils sont en contact. Les géomorphologues, par exemple, ont fort à faire pour suivre les progrès de la géologie et de la pédologie, et les géographes humains ont du mal à se tenir au courant de tous les développements des sciences sociales. Aussi les uns et les autres sont-ils aujourd'hui moins conscients de ce qu'ils ont en commun et les déclarations des géographes français quant à « l'unité de la géographie » tout à la fois « physique » et « humaine » apparaissent à beaucoup d'entre eux comme une sorte d'idéal de moins en moins réalisable. Pourtant, cette idée directrice peut garder tout son sens et son efficacité pour l'ensemble de la corporation, à la condition que celle-ci soit consciente de sa raison d'être, au sein de la communauté scientifique et au sein de la société. Mais actuellement ce n'est généralement pas le cas et, de ce fait, la plupart des géographes qui mènent, chacun, des recherches de plus en plus précises et spécialisées, ne se sentent individuellement pas très à l'aise dans leur rapport avec d'autres disciplines, car ils ne sont guère persuadés des spécificités du métier de géographe. Il faut redonner aux géographes la fierté de leur tâche. C'est aussi l'intérêt de la nation dont ils font partie.

Les transformations d'un très ancien métier scientifique

Les géographes doivent réfléchir sur leur métier, sur leur rôle individuel et collectif au sein dc la société. Pour cela, il ne suffit pas d'examiner les difficultés épistémologiques du présent, il faut comprendre, comment et pourquoi elles sont peu à peu apparues en géographie, alors que toutes les autres disciplines connaissent un essor brillant.

Les géographes d'aujourd'hui qui réfléchissent à ces problèmes (ils sont en vérité assez peu nombreux) se contentent généralement de retracer l'évolution de ce qu'ils appellent la « géographie scientifique », la seule qui présente intérêt à leurs yeux : ils recensent donc les progrès qu'elle a enregistrés depuis le milieu ou la fin du XIXe siècle, c'est-à-dire l'époque à partir de laquelle un enseignement de géographie a commencé d'être dispensé dans les universités d'un certain nombre de pays. Mais ce palmarès n'explique en rien les difficultés actuelles que connaissent les géographes. Il ne leur sert à rien de se plaindre de la concurrence des autres disciplines, y compris de celles, comme l'histoire, ou l'écologie dont les progrès ne sont pas dus à une spécialisation accrue, bien au contraire. Pour comprendre la sorte d'impasse dans laquelle se sentent les géographes, il faut saisir le moment où ils ont commencé à oublier leur véritable raison d'être, celui où ils ont commencé à dévier du rôle qui avait été le leur pendant des siècles.

En effet, le métier de géographe est bien antérieur à l'apparition de la géographie dans les disciplines universitaires. Il existe depuis des siècles et même, depuis plus de deux millénaires, dans le cas de la Chine ou de la Grèce. Il importe de souligner qu'il était déjà tout à fait scientifique dès l'Antiquité compte tenu des méthodes et des techniques aux différentes époques. Le métier de géographe a été un des plus scientifiques qui puissent être : établir une carte, avant la photographie aérienne et la télédétection, était une opération qui exigeait un extraordinaire souci de précision, des milliers de mesures et de calculs et ce durant des années. Il fallait en effet que la carte soit la plus précise possible, avec les techniques du moment, pour éviter aux navigateurs de s'égarer sur les océans ou de tomber sur des récifs, pour réduire les risques de s'égarer dans le désert. C'est seulement depuis la fin du XIXe siècle — et encore — que l'on fait la distinction entre le géographe et le cartographe, mais il ne faut pas oublier leur relation étroite durant des siècles, et celle-ci est renforcée aujourd'hui par l'emploi des méthodes de télédétection.

Le métier de géographe est donc fort ancien et, durant des siècles, il a été considéré comme de la plus haute importance tant par les souverains que par les hommes d'affaires les plus entreprenants car les cartes, comme les autres informations fournies par les géographes, étaient déjà aussi indispensables au gouvernement des Etats ou au commerce au long cours qu'à la conduite des navires. Les géographes avaient alors de grandes responsabilités ; chaque grand souverain a « son » géographe et son cabinet des cartes et celles-ci sont considérées comme un indispensable outil de pouvoir.

C'est au milieu du XIXe siècle qu'apparaît une autre « géographie » dont les fonctions ne sont plus essentiellement stratégiques, mais surtout idéologiques. En effet, dans certains Etats européens, d'abord en Prusse puis en France, les milieux dirigeants ont été amenés à penser qu'il fallait enseigner certaines connaissances géographiques, non pas seulement aux hommes d'action — ce qui avait été le cas jusqu'alors — mais aussi à de larges catégories sociales et surtout aux jeunes. La géographie devient alors discipline d'enseignement destinée d'abord aux jeunes gens de la bourgeoisie qui allaient au lycée, puis à tous les élèves des écoles primaires, et cet enseignement avait pour but de leur faire mieux connaître leur *patrie* et les pays qui l'entourent. Sont alors apparus, de plus en plus nombreux, les professeurs de géographie de l'enseignement secondaire (en France, ils sont aussi professeurs d'histoire). Pour les former, il fallut des professeurs de géographie dans les universités. Pour répondre aux besoins croissants des lycées, le nombre des géographes universitaires devint beaucoup plus grand que celui des géographes qui existaient jusqu'alors, et qui étaient, non pas des enseignants, mais des spécialistes relativement rares dont les responsabilités étaient grandes. Tant et si bien que l'expression « les géographes » en est venue à désigner essentiellement les géographes universitaires.

Des géographes dont les responsabilités sont fort différentes

C'est aussi à cette époque, la fin du XIXe ou les débuts du XXe siècle, que s'opère la séparation entre le métier de géographe et celui de cartographe, et le premier se transforme profondément : les interlocuteurs du géographe qui avaient été jusqu'alors des hommes d'action et de pouvoir sont remplacés par de jeunes étudiants, futurs professeurs. Cette époque marque donc une transformation considérable dans l'évolution de ce que l'on appelle la « géographie ».

Certes, tous les pays où se développait un système scolaire et universitaire n'ont pas connu l'introduction de la géographie dans les programmes de l'enseignement secondaire et cette multiplication des professeurs de géographie dans les lycées. C'est notamment le cas des pays anglo-saxons. Cependant, des géographes apparurent dans leurs universités, à l'imitation de celles d'Allemagne ou de France où ils étaient beaucoup plus nombreux.

De surcroît, l'influence des géographes universitaires allemands et français fut scientifiquement considérable. En effet, leur rôle ne se limitait pas à la formation de futurs enseignants du secondaire et ils se sont lancés dans de nombreuses recherches, ne serait-ce que pour leurs thèses de doctorat. Celles-ci ont fait progresser les connaissances géographiques. Mais ces travaux de type académique n'étaient plus liés aux préoccupations des milieux dirigeants, à leurs entreprises lointaines ou à leurs projets géopolitiques et, surtout en France, les géographes universitaires ont été amenés à penser que c'étaient seulement les recherches *désintéressées* qui relevaient vraiment de la science, celle-ci étant alors souvent conçue comme une fin en soi, la « science pure ». C'est alors que les géographes ont commencé à perdre conscience de leur fonction sociale et de ce qui avait été, durant des siècles, leur véritable raison d'être : penser l'espace pour que l'on puisse y agir plus efficacement. Les progrès de la division du travail scientifique, au sein de la corporation des géographes universitaires, la séparation progressive des géographes « physiciens » et des géographes « humains », ont encore accentué la tendance à mener des recherches « désintéressées » et les monographies relevant de la « géographie régionale » et d'une idée moins parcellaire de la géographie furent réalisées, sans penser le moins du monde qu'elles puissent et dussent être utiles à qui que ce soit.

En fait, la science véritable n'a jamais été globalement une entreprise désintéressée et il n'est que de constater que les progrès théoriques de la géologie, par exemple, une des sciences avec laquelle les géographes avaient alors le plus de rapports, ont été étroitement liés aux préoccupations de la prospection et de l'exploitation minières. En vérité, cette géographie nouvelle « scientifique » qu'au début du XXe siècle les géographes universitaires ont voulu fonder et développer, sans surtout se poser la question de son utilité au sein de la société, relève principalement d'une conception académique de la discipline.

Pourtant la démarche de leurs prédécesseurs avait été, au cours des siècles, tout aussi scientifique que la leur, bien qu'elle ait été liée à des préoccupations utilitaires ou politiques : n'étaient-ils pas parvenus à construire, avant la fin du XIXe siècle, des représentations cartographiques du monde de plus en plus précises ? Elles ne sont pas disqualifiées par les procédés les plus modernes qui aujourd'hui les affinent et les complètent. Mais il ne faut pas seulement penser qu'aux cartes. L'œuvre colossale d'Elisée Reclus [2], œuvre qui n'est pas de type académique (elle procédait en effet d'un vaste projet libertaire) et qui est encore aujourd'hui étonnamment moderne, est significative du degré d'avancement des raisonnements géographiques avant le développement de la géographie universitaire. L'apport de celle-ci depuis les débuts du XXe siècle est évidemment fort important, mais il ne doit pas faire oublier la valeur scientifique des géographes d'antan, ceux qui étaient très conscients de servir à quelque chose, et le rôle qu'ils ont eu dans l'évolution des idées politiques et l'organisation territoriale de l'Etat comme dans les transformations du monde.

Il ne s'agit pas seulement de rendre hommage à ces géographes qui n'étaient pas des universitaires, mais de rappeler aux géographes d'aujourd'hui, à la communauté scientifique et

2. Les 19 volumes de sa *Nouvelle Géographie universelle* qu'il a écrits, seul et proscrit, de 1872 à 1895 représentent plus de 17 000 pages et plus de 4 000 cartes. Il faut y ajouter les deux tomes de *La Terre, description des phénomènes de la vie du globe* (1869), et les six gros volumes de *L'Homme et la Terre* (1905), plus de 4 000 pages, qui sont le couronnement de son œuvre. Des « morceaux choisis » de ce dernier ouvrage ont été publiés avec une importante introduction par Béatrice Giblin aux éditions La Découverte, deux volumes, 180 et 220 pages, 1982.

à l'opinion, l'ancienneté et l'importance du métier de géographe au sein de la société. Ce n'est pas parce que les cartes sont devenues un objet relativement banal, du moins dans certains pays (moins nombreux qu'on le croit), que les fonctions des géographes devraient être moins utiles qu'autrefois. Au contraire, il est à parier qu'elles apparaîtront d'ici peu comme tout aussi indispensables que par le passé.

Pourquoi appeler « Hérodote » une revue de géographie ?

C'est pour attirer l'attention des géographes d'aujourd'hui sur les problèmes et les difficultés de leur métier, sur son ancienneté et son évolution assez paradoxale, sur leurs responsabilités collectives et individuelles que notre revue porte le nom d'un grand géographe, Hérodote. C'est l'un des plus anciens que l'on connaisse en Europe, puisqu'il vivait en Grèce au ve siècle avant notre ère.

Le choix de ce titre a sans doute de quoi surprendre, car Hérodote est habituellement considéré comme un historien. Mais il fut tout autant (et peut-être plus encore) un géographe et en tant que tel ses responsabilités furent grandes auprès des dirigeants d'Athènes : il mena une vaste *enquête*[3] pour les renseigner précisément sur les pays de la Méditerranée et du Moyen-Orient, sur l'Egypte et surtout sur la Perse qui était, pour les Grecs, une puissance redoutable. Hérodote n'a sans doute pas établi de carte (à l'époque, c'était surtout l'affaire des géographes mathématiciens ou astronomes), pourtant il s'y réfère constamment et tient le plus grand compte des itinéraires, des distances et des embûches qui s'y trouvent. Mais surtout, il fit une description précise des différents pays (il en visita beaucoup) en s'intéressant aussi bien à leurs configurations « physiques » — les fleuves, les montagnes, les déserts — qu'à leurs caractéristiques « humaines », aux formes d'organisation sociale et aux coutumes des différents peuples, comme aux structures politiques et militaires des différents Etats.

Pour mieux comprendre l'évolution des dynasties et les problèmes de ces Etats, Hérodote a fait aussi œuvre d'historien et cela n'est pas pour nous déplaire, bien au contraire. Une des

---

3. A noter qu'Hérodote emploie très fréquemment pour définir son travail le mot *historéo* qui signifie pour lui, comme pour Polybe, Sophocle, Platon et Aristote, par exemple (cf. *Dictionnaire Bailly*), *chercher à savoir, examiner, observer, explorer, enquêter.*

caractéristiques de l'école géographique française est, en effet, l'importance qu'elle accorde aux raisonnements historiens. Ce n'est pas seulement parce que dans les lycées et les collèges français, les deux disciplines sont enseignées par un même professeur (c'est une originalité culturelle française), mais surtout pour une raison beaucoup plus importante. Pour Kant, comme pour bien d'autres penseurs, le temps et l'espace ne sont-ils pas les deux « catégories fondamentales » ? Celles-ci ne peuvent évidemment pas être dissociées dans le raisonnement philosophique et moins encore dans l'action.

L'action...

Toute action, dès lors qu'elle est mouvement ou commandement *hors du cadre spatial familier*, implique des raisonnements quant à l'espace terrestre. S'il en est d'élémentaires qui peuvent être menés par tout un chacun, il en est, en revanche, de très compliqués qui exigent, pour être efficaces, de véritables professionnels du raisonnement géographique.

Se déplacer sur un territoire qui n'est pas balisé (sans indication d'itinéraires), et que l'on ne connaît pas ou que l'on connaît mal, exige de s'orienter et de se renseigner pour prévoir à l'avance les distances, les difficultés et les obstacles. Si l'on dispose de ce si précieux moyen d'action qu'est une carte relativement détaillée et si on sait la lire, le raisonnement géographique est relativement facile. En revanche, il est des entreprises qui exigent, sous peine d'échec grave, des raisonnements géographiques extrêmement complexes, même si l'on dispose de cartes.

Des opérations qui exigent des raisonnements géographiques fort complexes

Ce sont les opérations qui, d'une part, concernent des effectifs de population plus ou moins considérables, inégalement répartis sur un territoire, et qui, d'autre part, mettent en œuvre *dans des lieux variés ou sur des étendues plus ou moins vastes* des moyens de production complexes dont le bon fonctionnement dépend d'une combinaison de conditions nombreuses ; parmi celles-ci, les conditions géographiques jouent un rôle d'autant plus grand qu'elles sont complexes, changeantes pour une part (ne serait-ce qu'en raison des variations climatiques et des transformations politiques), difficiles à saisir et plus encore à modifier.

Les opérations d'implantation de nouveaux établissements industriels, dans les pays où les réseaux de circulation sont insuffisants, nécessitent des raisonnements géographiques déjà complexes et de différents types, depuis le niveau international jusqu'au niveau local. Mais ce sont, sans aucun doute, les opérations de développement agricole menées dans les pays du tiers monde, pour faire face à la rapide croissance démographique, qui exigent, pour éviter de trop fréquents fiascos, l'établissement des raisonnements géographiques les plus difficiles. En effet, l'expérience prouve que, dans ce genre d'opération, il est nécessaire de prendre en compte non seulement les données climatiques, leurs variations saisonnières et pluriannuelles comme la fréquence des « accidents » météorologiques, mais aussi les configurations du réseau hydrographique et les données topographiques, les pentes et la couverture des terrains qu'il s'agit de préserver du ravinement comme les caractéristiques des sols, surtout s'il s'agit d'irriguer ; non seulement la répartition du peuplement et le tracé des routes et des chemins, mais aussi les structures agraires et l'organisation des systèmes de culture traditionnels, sans oublier les phénomènes migratoires, les rivalités ethniques locales et les données de la géographie médicale. Certes chacun de ces multiples facteurs géographiques relève d'un spécialiste pour l'analyse approfondie, mais c'est seulement un raisonnement particulièrement complexe qui permet de comprendre comment ils se combinent différemment les uns aux autres dans le cadre du territoire où est menée l'opération et l'on peut affirmer que le succès de celle-ci dépend, dans une grande mesure, de l'efficacité de ce raisonnement géographique.

Or, il est encore très exceptionnel que des géographes participent véritablement à la conception et à la mise en œuvre des programmes de développement agricole. En effet, ce sont différents types de techniciens et surtout les économistes planificateurs qui ont la direction de ce genre d'opérations et ils ont, dans la plupart des cas, une notion plus que simpliste de la « géographie ». Pour les décideurs comme pour l'ensemble de l'opinion, la signification de ce mot se réduit à la constatation de quelques grands contrastes du relief et du climat.

De l'espace « banal » à l'analyse interdisciplinaire et systémique

Les économistes qui sont devenus les organisateurs et les planificateurs du « développement » projettent, de surcroît, sur l'espace, qu'il s'agisse du *terrain* ou de territoires plus ou moins vastes, la condescendance avec laquelle ils considèrent souvent les géographes. Cette condescendance, qui se fonde sur des souvenirs plus ou moins fastidieux des leçons de géographie[4]... dans l'enseignement secondaire, n'est pas seulement le fait des économistes, mais ce sont eux qui l'expriment le plus, y compris de façon théorique. L'espace qu'ils appellent géographique est ce qu'ils dénomment, à la suite de certains de leurs maîtres, l'espace *banal*[5] ou l'espace *vulgaire* pour l'opposer à l'espace « économique » qui serait, à leurs yeux, le seul digne d'attention et de raisonnements scientifiques. L'emploi fréquent de cet adjectif *banal* pour désigner l'espace concret va de pair avec toute une série de connotations plus ou moins explicites qui font que cet espace est jugé tout à la fois « commun... ordinaire... uniforme... évident... » et finalement, sans importance par les théoriciens de l'économie et du « développement ».

Cette suffisance atteint parfois l'imbécillité impardonnable tant les réalités négligées, dans certaines opérations de développement, étaient évidentes et importantes. Elle s'est soldée par un certain nombre d'échecs catastrophiques, d'ailleurs aussi bien en régime « capitaliste » qu'en régime « socialiste », mais ce ne sont pas les planificateurs qui en ont pâti. Il ne faut évidemment pas minimiser le rôle de puissants facteurs négatifs d'ordre financier ou politique, mais dans bien des cas, les causes planétaires du « sous-développement » ont eu bon dos et l'on peut dire que tel ou tel fiasco aurait pu être évité si l'on avait moins négligé l'analyse de la diversité des situations géographiques et la complexité des phénomènes humains sur le terrain. Mais il aurait fallu que les décideurs de telles opérations pensent que des géographes pouvaient être utiles et il aurait fallu

---

4. Il est à noter qu'en France la géographie dans l'enseignement secondaire est enseignée, dans plus des trois quarts des cas, par des professeurs qui n'ont pas été formés dans cette discipline et qui ont surtout reçu une formation historienne.

5. Selon l'expression du fameux économiste du développement, François PERROUX, dans son *Economie du XXe siècle,* PUF, 1961, notamment p. 123-132.

aussi que les géographes montrent, de leur côté, comment ils pouvaient être efficaces.

Durant les vingt ou trente dernières années, certaines régions du tiers monde ont connu la faillite et les séquelles de plusieurs opérations de développement agricole consécutives. La succession de tels échecs, alors que les conditions générales n'étaient pas dirimantes, commence à être considérée comme la preuve que les réalités sont beaucoup plus compliquées et qu'au scin d'un même Etat les situations sont beaucoup plus diverses que ne le prétendaient des théories formées à un degré trop poussé d'abstraction. On se rend compte que les réalités que l'on veut modifier ne relèvent pas seulement de l'analyse des économistes, et qu'elles sont l'enchevêtrement et l'interaction de multiples catégories de phénomènes.

Aussi prône-t-on désormais les vertus de *l'approche pluridisciplinaire* (inter — ou transdisciplinaire). Mais celle-ci n'est pas commode et il ne suffit pas de *juxtaposer* les rapports établis par différents spécialistes pour rendre compte d'une façon efficace de la complexité d'une situation et de l'enchevêtrement de phénomènes qu'ils envisagent séparément.

Dans ces entreprises qui se veulent pluridisciplinaires, les géographes ont, en vérité, un rôle proprement crucial à jouer et il importe de souligner que leur utilité, en l'occurrence, procède justement (et paradoxalement) de ce qui leur vaut d'être souvent dénigrés par les spécialistes des autres disciplines. Le statut épistémologique de la géographie leur paraît plus que flou, surtout dans sa conception française, dilaté qu'il est du champ des sciences naturelles à celui des sciences sociales, mais il implique que les géographes, plus que tous autres, soient initiés aux méthodes et aux langages de très diverses disciplines, et cela est un atout précieux dans une démarche pluridisplinaire.

Depuis quelques années, on parle beaucoup des avantages de *l'analyse systémique* pour saisir les interactions des facteurs si divers qui s'enchevêtrent dans la portion de la réalité sur laquelle on veut agir. Mais pour commencer à démêler ce magma confus, il faut d'abord déterminer l'extension spatiale particulière de chacun de ces facteurs et de ses variantes, et ensuite examiner les intersections des multiples ensembles spatiaux que l'on a ainsi délimités. Analyser une situation, c'est d'abord dresser ou examiner les cartes des différents phénomènes qui y interfèrent. C'est le travail des géographes et la représentation complexe qu'ils construisent de la réalité (représentation évidemment partielle comme toute représentation) est une des bases de l'analyse systémique.

Un savoir scientifique incontestable, s'il est dans son ensemble orienté vers un but

Le développement récent de réflexions liées à l'intérêt croissant que la communauté scientifique porte à l'analyse des systèmes, dans le cadre de démarches interdisciplinaires, permet de poser en des termes nouveaux le problème du statut épistémologique de la géographie. La liste au premier abord assez hétéroclite des diverses catégories de phénomènes que les géographes affirment prendre en compte et, plus encore, la quantité des connaissances qu'ils empruntent à de multiples sciences ont amené certains théoriciens à considérer la géographie comme une sorte de survivance, sans raison d'être aujourd'hui, des discours préscientifiques du passé. Evidemment, le progrès des sciences résulte, dans une grande mesure, d'une division de plus en plus poussée du travail scientifique. Mais, depuis quelques années, à côté des sciences *stricto sensu*, chacune spécialisée dans l'analyse d'un secteur de plus en plus précis de la réalité, les réflexions épistémologiques nouvelles légitiment le développement de *savoirs scientifiques* dont la caractéristique et la fonction sont de combiner, d'articuler des éléments de connaissance qui sont produits par différentes sortes de sciences.

Ainsi la médecine ou l'agronomie, par exemple, sont considérées aujourd'hui comme des savoirs dans la mesure où l'une et l'autre combinent des connaissances produites par des sciences de plus en plus nombreuses, non seulement la chimie et la biologie, mais aussi, par exemple, la psychiatrie et la sociologie pour l'une, la pédologie et l'économie pour l'autre.

Le fait que les géographes prennent en compte des éléments de connaissance élaborés par de multiples sciences ne doit plus être pris, aujourd'hui, comme la preuve des carences ou du statut épistémologique arriéré de la géographie. Celle-ci peut être considérée comme un savoir scientifique, mais à la condition formelle que tous ces éléments de connaissance plus ou moins disparates ne soient plus énumérés, juxtaposés dans un discours de type encyclopédique, mais au contraire articulés en fonction d'un but.

En effet, la légitimité épistémologique d'un savoir se fonde, non pas dans un cadre académique fût-il scientifique, mais sur des pratiques sociales assorties de résultats tangibles. Ce sont d'ailleurs les leçons de la réussite ou de l'échec des raisonnements construits en fonction du but que l'on veut atteindre, ou du résultat que l'on veut obtenir, qui permettent les progrès des méthodes d'un savoir et qui justifient le recours à des connaissances établies par des sciences encore plus nombreuses.

Tout le monde sait à quoi servent la médecine ou l'agronomie. *Mais à quoi sert la géographie ?* Cette question qu'*Hérodote* a posée d'entrée de jeu a pu paraître bien triviale à certains et fort éloignée des raisonnements de l'épistémologie. En fait, c'est, pour les géographes, la question épistémologique fondamentale, car selon la réponse qui lui est donnée, c'est le statut de la géographie en tant que savoir scientifique qui se trouve fondé ou au contraire récusé.

Il y a trente ans, certains géographes universitaires ont approché cette question, mais de façon partielle, détournée et en quelque sorte marginale, lorsqu'ils ont commencé à « faire de la géographie *appliquée* ». Ce n'était pas la question du statut de la géographie dans son ensemble qui était posée de cette façon. C'était seulement (et c'était déjà beaucoup) la prise de conscience que certaines méthodes employées par les géographes pouvaient être efficaces pour la solution de tel ou tel problème technique que des ingénieurs ou des aménageurs avaient à résoudre. Mais ces méthodes ne sont pas propres aux géographes ; elles sont aussi et surtout mises en œuvre par des spécialistes de telle ou telle discipline et ceux-ci pouvaient récuser la compétence de ceux-là. Dans ces relations de type « binaire » (entre géographes et chercheurs d'une autre science), comme les appelle Jean Tricart, un des grands promoteurs de la « géographie appliquée », ce n'est pas l'ensemble du raisonnement géographique qui est mis en œuvre, mais une partie seulement et souvent, ce sont surtout les méthodes que les géographes ont plus ou moins empruntées à une autre science. De ce fait, la raison d'être de la géographie n'était pas véritablement démontrée.

Lorsqu'il préconisa en 1965 le développement d'une *géographie active*[6], Pierre George souligna que c'est en tant qu'approche *globale* tout à la fois « physique » et « humaine » que celle-ci devait être conçue et non pas comme l'application

6. Pierre GEORGE, *La Géographie active*, PUF, 1965, avec la collaboration de R. GUGLIELMO, B. KAYSER et Y. LACOSTE.

de telle ou telle technique du savoir-faire des géographes. Mais les méthodes de cette approche « globale » (du moins en fonction de ce que considèrent les géographes) n'étaient pas clairement définies et moins encore celles de l'analyse spatiale qui est pourtant le domaine spécifique des géographes. Enfin, cette « géographie active », tout comme la géographie « appliquée », était encore conçue comme une sorte de prolongement d'une géographie universitaire surtout soucieuse de science « pure » et dont les motivations restent essentiellement académiques.

Pour que la géographie soit reconnue par la communauté scientifique, comme un *savoir* au sens défini ci-dessus et comme un savoir aussi nécessaire que la médecine ou l'agronomie[7], il faudrait que les géographes, quelles que puissent être les recherches de chacun d'eux et qu'ils fassent, ou non, de la géographie « appliquée », soient conscients que leur collective raison d'être dans la société est de *savoir penser l'espace pour qu'on puisse agir plus efficacement*. C'est seulement cela qui donne un sens à leur métier et qui justifie épistémologiquement le nombre des emprunts qu'ils font aux autres sciences.

Certes, dans les résultats obtenus par celles-ci, les géographes prennent surtout en compte ceux qui sont cartographiés ou cartographiables, c'est-à-dire suffisamment différenciés spatialement. En effet, on fait aussi des cartes dans les autres disciplines (cartes du géologue ou du pédologue, cartes du climatologue, cartes du démographe ou de l'ethnologue, etc.). La raison d'être des géographes est de savoir penser l'espace dans sa complexité, en tant qu'enchevêtrement et interactions très diverses et qui de surcroît ont des dimensions très inégales, depuis celles d'envergure planétaire jusqu'à celles de certains éléments ponctuels significatifs dans une situation locale.

C'est parce que la réalité est compliquée que les raisonnements que peuvent construire les géographes sont nécessaires, et aujourd'hui sans doute plus encore qu'autrefois. Ils répondent à des besoins fondamentaux qui sont ceux du *mouvement*, de l'*action*, hors du cadre spatial familier et ces besoins se manifestent d'autant plus fréquemment que se multiplient les relations et les interventions à grande distance.

---

7. On en est loin présentement, mais cette ambition n'est pas irréalisable.

Savoir penser la complexité de l'espace terrestre

Pour avoir une idée plus précise du rôle que peuvent avoir les géographes et de la place qu'ils doivent accorder à l'action, au mouvement dans leurs raisonnements, il n'est pas inutile d'esquisser quelques règles du savoir-penser l'espace.

Pour être efficace, le géographe doit partir du principe que chaque phénomène que l'on isole par la pensée a sa configuration spatiale particulière qui correspond sur la carte à un certain *ensemble spatial*. Immense est donc le nombre [8] des ensembles spatiaux qui s'enchevêtrent à la surface du globe. Leur classement s'opère, d'une part, en fonction des catégories scientifiques (ensembles topographiques, hydrographiques, géologiques, climatiques, botaniques, démographiques, économiques, etc.) et, d'autre part, en fonction de leur taille, en distinguant différents *ordres de grandeur*. En effet, les dimensions des ensembles spatiaux que prennent en compte les géographes peuvent se mesurer en dizaines de milliers de kilomètres (premier ordre), en milliers de kilomètres (deuxième ordre), en centaines de kilomètres (troisième ordre), en dizaines de kilomètres (quatrième ordre), en kilomètres (cinquième ordre), en dizaines de mètres (sixième ordre), en mètres (septième ordre)...

Dans les discussions épistémologiques relatives à la géographie, on fait surtout cas de la diversité des ensembles spatiaux en fonction des catégories scientifiques mais on ne prête généralement guère d'attention à leurs différences d'ordre de grandeur. C'est pourtant une des caractéristiques majeures du raisonnement géographique, une des raisons de son efficacité, mais aussi une de ses difficultés majeures, car le problème ne se réduit pas au choix des échelles des cartes (très petite échelle pour représenter les ensembles du premier ordre de grandeur, grande échelle pour représenter ceux du cinquième ordre...).

En effet, l'observation géographique est menée à des *niveaux d'analyse* très différents, depuis le niveau mondial qui correspond à l'examen d'ensembles et de mouvements d'enver-

8. Même si l'on admet que les géographes ne prennent en compte que les ensembles spatiaux dont la représentation cartographique implique une *réduction* de leurs dimensions, cette réduction étant définie par l'échelle (de réduction) de la carte. Il n'est pas inutile de rappeler que de nombreuses sciences, à l'inverse, n'appréhendent des phénomènes qu'en les grossissant, c'est par exemple le cas de la biologie.

gure planétaire, jusqu'au niveau qui convient à l'inventaire des caractéristiques d'un lieu de petite dimension (quelques centaines de mètres, un terroir, une clairière, par exemple). Il y a, en gros, autant de niveaux d'analyse qu'il y a d'ordres de grandeur dans la gamme dimensionnelle des ensembles spatiaux pris en considération par les géographes. Mais les ensembles des premiers ordres sont formés à un degré d'abstraction beaucoup plus poussé que les ensembles de beaucoup plus petites dimensions. Aussi les représentations qui correspondent à ces différents niveaux d'analyse ne portent pas seulement sur des territoires d'inégale ampleur ; elles sont en quelque sorte qualitativement différentes et elles sont, de ce fait, complémentaires.

Pourtant, on s'en tient bien souvent à un seul de ces niveaux d'analyse, à celui qui paraît « aller de soi », mais le raisonnement géographique est alors incomplet et l'on se prive des informations que fournirait l'examen des représentations à plus petite et à plus grande échelle. En revanche, s'il s'agit de mener (ou de comprendre) des opérations d'envergure, surtout si elles sont complexes et si elles impliquent un certain risque, il est alors indispensable, sous peine d'échec, de mener l'analyse à plusieurs niveaux. Le succès d'une stratégie, conçue en fonction des rapports de forces sur un espace relativement vaste, dépend de la façon dont elle est mise en œuvre sur le terrain, par des tactiques qui, elles, doivent tenir compte de configurations spatiales de dimensions beaucoup plus petites.

Ce sont aussi les exigences du mouvement et de l'action qui, bien souvent, obligent à examiner attentivement, à chaque niveau d'analyse, l'extension spatiale précise des différentes sortes de phénomènes qu'il est nécessaire de prendre en compte, comme autant d'atouts, d'obstacles ou de handicaps. La réflexion académique s'est surtout souciée des *coïncidences* qu'elle pouvait repérer entre des ensembles spatiaux du même ordre de grandeur, mais relevant de diverses catégories scientifiques. Pourtant, ces coïncidences sont peu nombreuses en comparaison des multiples *intersections* que forment, superposés sur une même carte, des ensembles topographiques, géologiques, climatiques, démographiques, économiques, culturels, etc. Non seulement il est particulièrement intéressant du point de vue scientifique de prendre en compte les non-coïncidences entre les configurations spatiales de phénomènes que l'on pouvait croire étroitement liés les uns aux autres, mais surtout il est particulièrement utile de repérer ces intersections dans l'élaboration des stratégies et le choix des tactiques.

Tout raisonnement géographique (cf. le schéma page 32-33) devrait reposer sur :

— d'une part, la distinction systématique des différents niveaux d'analyse, selon les différents ordres de grandeur des ensembles spatiaux ;

— d'autre part, à chacun de ces niveaux, l'examen systématique des intersections et coïncidences entre les contours de multiples ensembles spatiaux du même ordre de grandeur.

Penser l'espace terrestre dans sa complexité n'est donc pas simple et ceux qui parlent de l'espace « banal » jugeront sans doute que tout cela est bien trop compliqué. Mais le grand épistémologue que fut Gaston Bachelard a montré dans *Le Rationalisme appliqué* (1949) que « l'explication scientifique ne consiste pas à passer du concret confus au théorique simple, mais à passer du confus au complexe intelligible. »

Comment articuler les différents niveaux d'analyse ?

Il est efficace de se représenter l'espace terrestre comme s'il était « feuilleté », en distinguant par la pensée différents plans ou niveaux d'intersections d'ensembles spatiaux. Mais si on les distingue méthodiquement selon les ordres de grandeur, c'est pour mieux les *articuler* les uns aux autres. C'est pour mieux comprendre une situation locale, pour y agir plus efficacement, qu'il est nécessaire de prendre en considération des intersections d'ensembles sur des étendues beaucoup plus vastes et c'est pour mettre en œuvre avec plus de chances de succès des stratégies conçues au plan international et dans le cadre d'un Etat qu'il importe d'analyser les situations locales et le terrain (les terrains) où elles seront, en fin de compte, appliquées [9].

Mais le schéma de ce modèle met en évidence que ces différents niveaux d'analyse sont séparés les uns des autres par une série de *hiatus*, et ceux-ci constituent la plus grande difficulté conceptuelle du raisonnement géographique global, comme du raisonnement stratégique. Comment articuler ces différents niveaux d'analyse ?

---

9. Pour des exemples concrets, voir les études de cas « Stratégies dans la vallée de la Volta blanche. Stratégies dans le delta du fleuve Rouge. Stratégie autour de la Sierra Maestra »..., dans Yves LACOSTE, *Unité et diversité du tiers monde. Des représentations planétaires aux stratégies sur le terrain*, éditions La Découverte, 1984, 568 pages.

Ce problème n'est pas particulier à la géographie ; il se pose aussi bien en histoire ou en économie, par exemple : comment combiner les « temps longs » et les « temps courts » ? Comment articuler la macro et la micro-économie ? En fait, dans la plupart des sciences et des savoirs, on est en train de prendre conscience de l'importance de ce problème des hiatus entre les différents niveaux hiérarchiques que l'on est amené à distinguer. Le problème est posé, mais la solution théorique ne semble pas encore trouvée.

C'est finalement par référence à la pratique, en tenant compte des leçons des succès et des échecs, que l'on tente de résoudre le si difficile problème du hiatus entre les différents niveaux d'analyse. Comme le souligne L. von Bertalanffy dans sa *Théorie générale des systèmes*, les analyses systématiques et leur organisation selon un certain ordre hiérarchique ne doivent pas être conçues dans l'absolu. Elles n'ont de sens, dit-il, qu'en fonction des objectifs que l'on se propose d'atteindre, compte tenu des contraintes et des moyens dont on dispose. « Mieux comprendre pour mieux agir », écrit le promoteur de l'analyse systémique, qui rappelle à juste titre que les développements de cette méthode datent surtout des préoccupations stratégiques de la Seconde Guerre mondiale.

La démarche des géographes doit donc être opérationnelle. Raisonnement géographique et raisonnement stratégique se ressemblent dans la mesure où l'un et l'autre, d'une part, se réfèrent constamment aux cartes et, d'autre part, s'efforcent de combiner diverses catégories de facteurs et d'articuler plusieurs niveaux d'analyse spatiale. Certes, pour le moment, bien peu de géographes raisonnent en termes d'objectifs à atteindre, mais leur nombre peut s'accroître dans un avenir relativement proche. Cependant, entre ces deux types de raisonnement, il est une différence majeure qu'il ne faut pas oublier. C'est que le géographe n'est pas celui qui décide d'une stratégie, car il n'est pas le chef d'Etat ou le chef de guerre.

Même dans le passé, quand le rôle du géographe du roi était reconnu comme fort important, si sa responsabilité était grande, ses pouvoirs étaient très limités et il n'était pas informé de toutes les données (politiques et militaires) nécessaires au choix et à la mise au point des stratégies. Aujourd'hui, l'autorité des géographes est encore plus restreinte puisque l'on doute bien souvent de leur utilité. Mais nous venons de voir que leur savoir-penser l'espace, leur véritable raison d'être, est particulièrement nécessaire aux actions de grande envergure et aux entreprises qui portent sur des territoires et des effectifs de population relativement importants. Or ces actions et ces entreprises relèvent, en fait de ceux qui dirigent l'Etat, et ceux-ci, par l'exercice hiérarchique du pouvoir sur des subdivisions territoriales plus ou moins vastes, raisonnent, tout comme les géographes efficaces, à différents niveaux d'analyse.

En vérité, la géographie est un *savoir politique* (*polis*, la cité, terme géographique par excellence !), mais ce n'est pas le géographe qui exerce le pouvoir. Sa vision du monde et du pays où il vit est parfois proche de celle du prince, mais il n'est pas le prince ; au mieux, il peut être un de ses conseillers. Il n'est pas possible de comprendre à quoi servent et surtout à quoi peuvent servir les géographes, sans poser les problèmes du politique.

... Le politique

Par le politique, dans ce texte, il ne faut pas entendre l'homme politique, qu'il soit l'homme d'Etat ou politicien, ni *la* politique, qu'elle soit discours ou exercice d'un pouvoir, mais une certaine catégorie de phénomènes sociaux. Celle-ci se réfère à une représentation de la société qui, pour y voir plus clair, classe les multiples relations sociales enchevêtrées les unes dans les autres, en fonction de différentes préoccupations théoriques. Plutôt que de distinguer des catégories de phénomènes, ce qui peut laisser entendre qu'elles sont nettement séparables les unes des autres, les chercheurs les plus avisés, et notamment Robert Fossaert [10], préfèrent envisager toute société en fonction de trois procédures d'investigation, en fonction des trois « instances » principales, celle de l'économique, celle du politique [11] et celle de l'idéologique.

10. Son œuvre en cours de publication, *La Société* (Le Seuil), six tomes actuellement parus, offre l'outillage conceptuel le plus différencié et le plus précis pour l'analyse des différents types de sociétés, non seulement en fonction de l'instance économique mais aussi de celle du politique et de l'idéologique.

11. Pour Fossaert, « l'instance politique tend à représenter l'ensemble des pratiques et des structures sociales relatives à l'organisation de la vie sociale. Le concept central à partir duquel et autour duquel elle s'organise est celui de l'Etat [...] L'Etat n'est cependant pas le seul pouvoir organisé dans la société [...] celle-ci se dote d'autres pouvoirs. Le système des pouvoirs non étatiques constitue la société civile ».

Bien que ces trois instances soient nécessaires, c'est celle de l'économique qui est devenue la représentation prépondérante de la société, et le discours économiste, qu'il se réfère ou non aux préceptes du « matérialisme historique », tend à exercer une influence hégémonique sur l'ensemble des sciences sociales et sur la façon de penser les problèmes de notre temps. En considérant tout ce qui relève du politique et de l'idéologique comme des sous-produits de l'économique, on en est venu à réduire l'impérialisme aux mécanismes de « l'échange inégal » et à estimer que la transformation radicale des rapports de production, la suppression de la propriété privée des moyens de production ne pouvaient que résoudre les problèmes politiques et idéologiques d'une société. On en est loin et l'on s'aperçoit aujourd'hui que ces thèses qui prônaient la prépondérance de l'économique ont servi notamment à minimiser l'organisation des goulags, phénomène capital qui, lui, relève du politique.

Dans le même temps, les économistes sont devenus les gestionnaires des changements de la société et les organisateurs de son développement. Ils sont désormais fort nombreux dans les appareils d'Etat et plusieurs d'entre eux sont devenus ministres ou même chefs d'Etat. On doit, pour une part, aux économistes la grande croissance, sans à-coup majeur, de l'économie mondiale (surtout celle des pays « développés ») entre la fin de la Seconde Guerre mondiale jusqu'au début des années soixante-dix, longue période d'expansion qui ne s'était jamais vue dans l'histoire du capitalisme. Pendant près de trente ans, ils ont su gérer les contradictions de ce système et, par l'intermédiaire des administrations étatiques et des institutions financières internationales, ils ont su surmonter tel facteur de récession ou de blocage par la relance, au bon moment, de tel secteur d'investissement ou de spéculation.

Mais la crise économique mondiale qui sévit maintenant depuis plus de dix ans réduit la superbe de l'« économisme » et l'on s'aperçoit aujourd'hui que cette énorme croissance a été, dans une grande mesure, une sorte de fuite en avant et que les plans de développement conçus par les économistes, qu'ils soient « bourgeois » ou « marxistes » ne sont pas parvenus à résoudre les problèmes des pays du tiers monde. Dans les vingt prochaines années, la plupart de ces pays vont devoir affronter un nouveau doublement de leur population (celle-ci a déjà doublé depuis les années cinquante) et le triplement ou même le quadruplement de leurs grandes agglomérations urbaines. Pour faire face à de telles urgences, la preuve est faite que la planification économique ne suffit pas. Il faut essayer de résoudre, au plus vite, un certain nombre de problèmes fondamentaux qui sont géographiques. Les géographes doivent cesser d'être à la remorque des économistes.

Nous l'avons dit, un rapide développement agricole exige que soit pris en compte l'enchevêtrement spatial de facteurs positifs et négatifs, naturels ou humains que les économistes, avec leur conception de l'espace « banal » ou « vulgaire » ont volontairement négligés. Des géographes efficaces sont indispensables à une véritable organisation du développement agricole qui doit, avec les moyens locaux pour l'essentiel, viser à augmenter le volume des productions, tout en veillant à la sauvegarde des ressources non renouvelables, l'eau et les sols, qui sont déjà gravement dégradées. Dans cette vaste entreprise qui doit tenir compte de l'extrême variété des situations locales et régionales, la conception française de la géographie, tout à la fois « physique » et « humaine », apparaît comme une des plus efficaces.

Quant à l'énorme croissance urbaine qui va se produire d'ici la fin de ce siècle dans de nombreux pays du tiers monde (une ville comme Mexico atteindrait alors les trente millions d'habitants !), ce ne sont pas des recettes architecturales ou urbanistiques qui peuvent permettre d'y faire face. Il faut une stratégie efficace de l'organisation de l'ensemble du territoire et, pour cela, il faut aussi des géographes. Et ce ne sont pas seulement ces deux gigantesques problèmes du tiers monde qui nécessitent leur intervention. Dans les pays « développés », nombre de problèmes, comme par exemple ce que l'on appelle la régionalisation ou le redéploiement industriel, demandent le concours de spécialistes du savoir-penser l'espace.

Ce savoir devient d'autant plus nécessaire que se multiplient et s'accélèrent les relations, les interventions, les interactions *à grande distance*. Le raisonnement au niveau mondial devient certes de plus en plus indispensable, mais pour être efficace, il doit être combiné avec l'observation aux autres niveaux de l'analyse spatiale. Les phénomènes de « planétarisation » ne font pas disparaître, quoi qu'en disent certains, ce qui se passe au niveau local, régional et national.

Tous ces problèmes qu'il faut résoudre font que le rôle des géographes peut devenir plus important que jamais. Il y a quarante ans, peu nombreux étaient ceux qui prévoyaient l'influence considérable qu'allaient exercer les économistes ; celle-ci a été à la mesure des problèmes économiques qu'il a fallu résoudre. Voici venir maintenant le temps des géographes.

La Géographie, de nouveau un savoir politique

Mais pour cela, il faut former des géographes efficaces qui aient le goût et le sens de l'action. Il faut aussi qu'ils soient conscients dans leur démarche de l'importance des phénomènes qui relèvent du politique.

Or, les géographes universitaires, et spécialement les Français, se sont refusés pendant longtemps et se refusent encore pour la plupart à prendre en compte les problèmes politiques, sous le prétexte implicite, que ces derniers ne seraient pas « géographiques ». Cet argument qui généralement relève des règles non dites, mais non moins puissantes de la corporation, n'est pas sérieux dans la mesure où bon nombre de phénomènes politiques essentiels sont éminemment spatiaux et cartographiés, tels que l'Etat, ses frontières, ses subdivisions territoriales et son armature urbaine. Ces « données » n'ont plus été jugées dignes de raisonnement scientifique, parce qu'elles étaient soi-disant « évidentes » ; celles de la géographie électorale ne l'étaient pourtant pas, mais les géographes universitaires n'en ont pas moins laissé aux sociologues ce domaine de recherches.

Cette exclusion du politique du champ de ce que l'on peut appeler la *géographicité* (de ce que les géographes [12] considèrent comme « géographique ») est d'autant plus remarquable que durant des siècles la géographie avait été considérée comme un savoir éminemment politique. En France, c'est lorsqu'on a commencé à enseigner la géographie dans les universités que les premiers maîtres de cette discipline ont en quelque sorte décidé que pour fonder une science nouvelle (car tel était leur projet, oubliant que leurs prédécesseurs avaient déjà une démarche fort scientifique) il leur fallait établir des lois objectives et exclure de leurs préoccupations des problèmes qui

12. Il est présentement des conceptions différentes et plus ou moins restreintes de la *géographicité* puisque, par exemple, les géographes soviétiques ne prennent pas en compte la plupart des phénomènes « humains » et que les géographes nord-américains négligent une grande partie des phénomènes « physiques ».

étaient matière à controverses, à propagande et à conflits. Pourtant, leurs collègues historiens, tout en s'efforçant de construire un savoir objectif, n'ont pas pour autant proscrit le politique du champ de l'historicité. La volonté des géographes de réduire la géographie à un savoir apolitique relève de causes complexes [13] mais puissantes puisqu'elles ont conduit la corporation à « oublier », à passer sous silence, non seulement la grande œuvre d'Elisée Reclus, mais aussi l'ouvrage en vérité majeur du « père de la géographie française », Vidal de La Blache [14].

L'exclusion du politique par les géographes universitaires a eu de graves conséquences pour l'évolution de ce savoir. Cette règle, d'autant plus qu'elle était non dite, a bloqué la réflexion épistémologique sur la géographie, au moment où celle-ci se trouvait ainsi subrepticement atrophiée. C'est alors que les géographes ont commencé à perdre conscience de leur raison d'être, que leur discours est devenu de plus en plus académique et que leur rôle est devenu de plus en plus incertain aux yeux des spécialistes des autres disciplines comme à ceux des dirigeants politiques.

Cette exclusion du politique n'a aucune justification épistémologique sérieuse et il importe de réagir et de montrer quel peut être le rôle des géographes.

Comme c'est en fonction d'opérations d'envergure que leur savoir-penser l'espace apparaît le plus nécessaire et comme ces opérations posent des problèmes politiques et dépendent de ceux qui dirigent l'Etat, il importe de démontrer à ceux-ci, comme à tous ceux qui se soucient du destin de leur pays, que les raisonnements des géographes permettent de mieux comprendre les phénomènes politiques et d'être plus efficaces. Il s'agit de ramener les géographes sur le terrain du politique et qu'ils y fassent leur preuve. Tel est le projet d'*Hérodote*.

« Hérodote », revue de géographie et de géopolitique

Certes le terme de géopolitique a été proscrit depuis des décennies sous prétexte qu'il a été étroitement lié à l'argumentation

13. Voir Y. LACOSTE, « Géographicité et géopolitique. Elisée Reclus », dans le n° 22 d'*Hérodote*, juillet-septembre 1981.

14. Il s'agit de *La France de l'Est* qui est un livre de géographie et de géopolitique que Vidal de La Blache a rédigé durant la Première Guerre mondiale, lorsque s'est posée au plan international la question du rattachement à la France des deux régions en majorité germanophones que la Prusse avait annexées en 1871.

de l'expansionnisme hitlérien. Mais a-t-on pour autant banni la biologie dont les théoriciens nazis des « races supérieures » ont fait l'usage que l'on sait ?

En vérité, les raisonnements géopolitiques, c'est-à-dire tout ce qui montre la complexité des rapports entre ce qui relève du politique et les configurations géographiques, ne sont pas plus « de droite » que « de gauche », pas plus « impérialistes » que libérateurs. Ils servent ceux qui les utilisent et ils sont évidemment matière à réfutation et à controverse. Telle argumentation qui lèse les intérêts de tel groupe ou de tel peuple sera réfutée par un autre raisonnement qui est, lui aussi, géopolitique. Il en est tout autant de l'histoire et de l'économie dont les thèses servent d'abord à ceux qui les affirment, mais cela n'empêche pas ces savoirs d'être révérés et de s'acheminer, dans les polémiques, vers une connaissance moins partisane de la réalité.

Les dirigeants des peuples qui ont lutté, ou luttent encore, pour l'indépendance ou pour leur autonomie, font eux aussi de la géopolitique, mais leurs arguments ne sont évidemment pas les mêmes que ceux des puissances qui les dominent. En France, l'œuvre du grand géographe libertaire Elisée Reclus est dans une très grande mesure une géopolitique ; il analyse notamment les raisons géographiques qui font que les peuples opprimés se battent entre eux et parfois plus férocement que contre les forces qui les oppriment. Reclus considérait le raisonnement géographique (il y incluait évidemment ce qui relève du politique) comme un moyen de résistance à l'oppression et il souhaitait le faire connaître au plus grand nombre de citoyens. C'est pourquoi ce théoricien du mouvement libertaire fut tout autant un très grand géographe. Contrairement à ce que pensent certains [15], le raisonnement de type géopolitique ne postule pas le primat de l'Etat, il est utilisable par ceux qui le combattent. Mais il ne sert à rien, surtout pour un géographe, de faire comme si l'Etat n'existait pas et d'orienter une géographie politique vers une géométrie du pouvoir, celui-ci étant d'abord envisagé au niveau des relations de personne à personne (l'homme et la femme, les parents et les enfants), car celles-ci ne sont pas cartographiables.

A l'inverse, contrairement à ce qui est dit le plus souvent, les

---

15. Notamment Claude RAFFESTIN, dans *Pour une géographie du pouvoir*, Litec, 1980.

réflexions géopolitiques ne se situent pas seulement au niveau planétaire ou en fonction de très vastes ensembles territoriaux ou océaniques, mais aussi dans le cadre de chaque Etat, y compris ceux dont l'unité culturelle est grande. De même, le raisonnement géopolitique ne s'applique pas seulement aux conflits violents et il éclaire de façon nouvelle et fort utile les problèmes de régionalisation et la géographie des tendances politiques et ce, parfois, dans le cadre d'ensembles territoriaux relativement peu étendus.

En France et dans d'autres pays, le terme de géopolitique commence à être utilisé de plus en plus souvent dans les médias ; il commence même à être une formule à la mode. En effet, depuis que le monde apparaît beaucoup plus compliqué que ne l'affirmaient de grands discours manichéens (Est/Ouest, Nord/Sud, centre et périphérie), une notable partie de l'opinion commence à pressentir qu'il est important de prendre en compte les configurations spatiales dans l'examen des rapports de forces et que certains problèmes particulièrement brûlants sont bien embrouillés. C'est ce qui explique l'attention qu'elle porte, depuis quelque temps, à ce qui fait référence à la géopolitique. Mais cet intérêt, trop souvent, n'est guère satisfait, car dans les médias l'étiquette « géopolitique » couvre bien des banalités ou des slogans éculés. A cette demande, il importe de répondre de façon plus satisfaisante, plus rigoureuse aussi. Il faut démasquer les escroqueries géopolitiques.

Pour y voir plus clair et pour mieux expliquer, pour mettre en évidence des stratégies occultes, il faut recourir à la carte, examiner et montrer non seulement une carte, mais des cartes qui, établies à des échelles différentes, permettent de saisir l'enchevêtrement des problèmes et des rapports de forces, en fonction de territoires de plus ou moins grande étendue. Dans ce domaine, le savoir-penser l'espace des géographes apparaît avec toute son efficacité. Du coup, on commence à comprendre que la géographie n'est pas la discipline bonasse et fastidieuse dont on garde, après le collège et le lycée, le souvenir plus ou moins vague. On commence à saisir en quoi la géographie est un savoir fondamental.

Il ne s'agit évidemment pas de réduire la géographie au raisonnement géopolitique, mais celui-ci a été si longtemps exclu des préoccupations des géographes et si peu s'en soucient encore aujourd'hui, qu'il importe de souligner son importance et son intérêt. *Hérodote* ne se spécialise pas dans l'étude des questions politiques. Son ambition est plus vaste puisqu'il s'agit de rétablir la géographie tout à la fois « physique » et « humaine » dans le statut qui durant des siècles a été le sien, celui d'un savoir politique.

C'est en répondant à la question *A quoi sert, à quoi peut servir la géographie ?*, que l'on peut montrer quel est et quel peut être le rôle des géographes au sein de la nation.

Enseigner la géographie*

« Pas de géographie sans drame »

C'est un grand honneur pour un géographe que d'avoir à parler de la géographie dans ce grand colloque consacré à l'histoire, et de surcroît lors de la séance inaugurale. Mais c'est aussi une tâche assez redoutable, car — pour moi — il ne s'agit pas tant de faire le panégyrique de la géographie que d'analyser, pour mieux la défendre, quelles sont les causes profondes de ce qu'il faut bien appeler son discrédit.

Non pas que je sois un géographe honteux, bien au contraire. Et c'est une des raisons pour lesquelles je suis particulièrement conscient de l'écart entre l'idée que l'on se fait habituellement de la géographie et ce qu'elle pourrait être ou ce qu'elle devrait être.

N'est-il pas significatif que ce colloque soit essentiellement consacré à l'histoire, alors que ces deux disciplines sont traditionnellement associées à l'école, au collège et au lycée ? Mais je comprends les raisons de ce choix. En effet, dans un pays comme la France, on accorde une beaucoup plus grande importance à l'histoire qu'à la géographie, « l'image de marque » de cette dernière n'étant pas particulièrement bonne et ceci contraste avec les progrès actuels que fait la géographie dans le domaine de la recherche.

Mais d'abord, pourquoi ces deux disciplines sont-elles ainsi associées dans le système scolaire français ? C'est l'une de ses originalités (certains diront : c'est l'un de ses défauts) et il n'en

* Texte de l'intervention au *Colloque national sur l'histoire et son enseignement*, ministère de l'Education nationale, 19-20-21 janvier 1984, Montpellier.

est pas de même dans d'autres pays, l'Angleterre ou la Belgique par exemple, pour ne citer que les cas les plus proches.

On pourrait croire que c'est seulement pour des raisons de commodité administrative qu'il fut décidé, au XIXe siècle, que dans le secondaire, un seul et même professeur enseignerait ces deux « matières », comme on disait autrefois. En vérité, cette association de l'histoire et de la géographie fut décidée pour des raisons qui furent, je crois, beaucoup plus profondes et surtout pour articuler les deux catégories kantiennes fondamentales, l'espace et le temps. En effet la géographie est à l'espace, devrait être à l'espace, ce que l'histoire est au temps.

Mais en réalité, à l'école, au collège, au lycée comme à l'université où est formée une partie des enseignants de ces deux disciplines, cette articulation de l'histoire et de la géographie n'existe guère et si elles sont enseignées, dans le primaire et le secondaire, par les mêmes maîtres, c'est de façon tout à fait inégale et séparée. Les professeurs d'histoire et géographie ont principalement une formation historienne et ils ont surtout, comme l'ensemble de l'opinion, une sensibilité historienne. Ils se sentent nettement plus gratifiés par l'enseignement de l'histoire et nombre d'entre eux reconnaissent qu'ils ont beaucoup moins de satisfaction et beaucoup plus de difficultés à enseigner la géographie. Je dirai carrément que le plus souvent celle-ci, telle qu'elle est conçue présentement, n'intéresse guère les élèves pas plus que leurs parents.

Si, depuis quelques années, on se soucie, y compris en « haut lieu », des carences de l'enseignement de l'histoire et ce colloque est une des preuves majeures de cette préoccupation, qui s'inquiète du marasme beaucoup plus grand encore et beaucoup plus ancien de la géographie ? Fort peu de monde et, il faut bien le dire, pas tellement les géographes.

C'est parce que René Girault, organisateur de ce colloque, a pris la mesure de l'embarras de très nombreux enseignants à l'égard de la géographie, qu'il a estimé devoir prendre en compte les problèmes de cette discipline dans les objectifs de la mission dont l'avait chargé le ministre. Celle-ci initialement ne concernait que l'histoire.

Enseigner la géographie, dans le primaire et dans le secondaire, n'est pas chose commode. Nous avons tous, ou presque tous, le souvenir de leçons de géographie particulièrement fastidieuses, telle par exemple « l'inégalité des jours et des nuits » ou « longitude/latitude, méridiens et parallèles » (ce n'est d'ailleurs pas tellement de la géographie, mais surtout de l'astronomie) qui sont les pensums par lesquels on inaugure rituellement le programme de géographie générale. Par ailleurs, les historiens ne gardent pas un très bon souvenir des épreuves de géographie qu'ils ont dû passer pour la licence ou l'agrégation et les coupes géologiques sont à l'origine de solides rancunes.

Enseigner la géographie, disai-je, n'est pas chose commode et pourtant cette discipline ne paraît pas ardue : elle décrit des paysages, elle énumère des noms de lieux et quelques chiffres ; en apparence, elle serait plutôt bonasse, à tel point que depuis des décennies, on estime qu'on peut en charger des enseignants qui n'ont guère eu de formation en ce domaine.

Dirai-je que les difficultés de la géographie dans l'enseignement secondaire tiennent au fait qu'elle est surtout enseignée par des hommes et des femmes qui ont principalement le goût de l'histoire ? Non, ou du moins je dirai que ce n'est pas l'essentiel. Des agrégés de géographie ne reconnaissent-ils pas qu'ils ont souvent moins de mal à enseigner l'histoire que la discipline pour laquelle ils sont pourtant le plus formés ? Cela ne veut pas dire que les historiens n'aient pas de difficultés pédagogiques à surmonter dans l'enseignement de l'histoire, mais celles-ci me paraissent beaucoup moins grandes que pour l'enseignement de la géographie.

En effet le discours historien est porté par une sorte de tension dramatique (sauf peut-être lorsqu'il traite de l'évolution de certains phénomènes économiques et sociaux sur des temps longs ou très longs). En revanche, la description géographique d'un pays, d'une région est généralement dépourvue de toute tension dramatique et consiste, le plus souvent, en une énumération de rubriques distinctes : relief, climat, végétation, peuplement, agriculture, industrie, etc.

« Faire de l'histoire », du moins à l'école, au collège et au lycée, c'est d'abord, ça devrait être d'abord (pas seulement, mais d'abord) raconter une histoire, expliquer une succession d'événements plus ou moins dramatiques dont les conséquences ont été importantes pour tel ou tel peuple, et d'abord pour le nôtre. Sans doute accorde-t-on, aujourd'hui, moins d'intérêt aux actions des « grands hommes », mais la charge dramatique du récit historien reste forte, lorsqu'il évoque ces héros que sont les peuples, surtout lorsqu'ils luttent pour l'indépendance ou pour plus de liberté. Certes on peut parler de tout cela de façon ennuyeuse et monotone, mais le plus souvent le professeur est « porté » par l'histoire qu'il raconte, car elle est passionnante et pour peu qu'il ait du talent et qu'il sache ménager le « suspense », il peut alors tenir en haleine ses jeunes auditeurs et c'est pour lui fort gratifiant.

En revanche, quand il s'agit de géographie, la tâche du même maître est beaucoup plus ingrate, car ses propos sont alors dépourvus de tension dramatique : à propos de tel pays ou de telle partie du programme, il lui faut énumérer différentes catégories de connaissances « que l'on doit savoir » (mais pour quoi faire ?) et les raisonnements qu'il esquisse pour les relier les unes aux autres restent assez formels. Le discours géographique évoque le plus souvent des permanences ou des phénomènes qui évoluent sur des temps relativement longs ou très longs ; il n'est que très rarement question d'enjeu ou d'événement. Dans les descriptions ou les explications géographiques, il n'y a guère de « suspense » pour maintenir l'intérêt des élèves et il faut beaucoup de talent et de compétences pour qu'un tel discours n'engendre pas l'ennui.

Pour aller à l'encontre des énumérations de rubriques et des nomenclatures, l'étude du « milieu local », celui où se trouve l'école, a été préconisée, comme « démarche d'éveil », notamment dans l'enseignement primaire. Mais, là encore, il s'avère qu'enseigner la géographie n'est pas chose commode et peut-être plus encore par ces méthodes actives. L'étude du milieu local pour être fructueuse exige la réunion de conditions qui sont, à dire vrai, assez exceptionnelles, du temps, de l'enthousiasme, des maîtres solidement formés qui soient capables d'opérer de multiples comparaisons et d'être des enquêteurs perspicaces et de bons observateurs de terrain. Faute de quoi, et c'est hélas trop souvent le cas, il ne s'agit que de propos décousus énumérant quelques aspects d'un cadre trop familier aux élèves pour qu'ils s'y intéressent.

Les cours et les manuels de géographie ne sont plus aujourd'hui ce qu'ils furent autrefois pour un grand nombre de futurs citoyens, c'est-à-dire l'inventaire de la diversité du monde et la description de leur propre pays. En effet, les médias diffusent quotidiennement une masse d'informations et d'images, et ce de façon spectaculaire et à propos d'événements ou de circonstances plus ou moins dramatiques. En comparaison, le professeur de géographie en est réduit à énumérer des banalités assez statiques.

C'est lorsqu'ils doivent traiter de la France et peut-être plus encore de la région où vivent leurs élèves, que les enseignants rencontrent le plus de difficultés, en raison du peu d'intérêt des jeunes à l'égard de cette partie des programmes. Ceci devrait être considéré comme un des symptômes les plus graves du malaise de l'enseignement de la géographie. En effet, n'est-ce pas d'abord pour parler de la patrie aux futurs citoyens, pour leur faire connaître leur pays, qu'un enseignement de géographie tout autant que d'histoire fut considéré comme nécessaire et obligatoire à la fin du XIXe siècle, notamment après le traumatisme de la défaite de 1870 ? Ce souci fut tel que pendant plus de quarante ans le livre de lecture courante de tous les petits Français fut le fameux « Tour de France de deux enfants » qui est, en vérité, un livre d'histoire et surtout un livre de géographie politique. Certes aujourd'hui, dans un pays comme la France, on parle moins de la patrie qu'autrefois et c'est sans doute un tort, mais il y a à cela diverses raisons.

En revanche, on parle beaucoup plus que par le passé, des « régions » et surtout de la « région » où l'on vit et l'on en parle de façon nouvelle. Quand certains revendiquent le droit de « vivre et travailler au pays », c'est le « petit pays » qu'ils évoquent, le sous-ensemble régional. Or il suffit de feuilleter des manuels de géographie, ceux de la classe de troisième et de la classe de première et de comparer des manuels d'il y a trente ans et ceux d'aujourd'hui, pour constater l'énorme réduction, dans la dernière décennie, de la place accordée à l'étude de la géographie régionale de la France.

Ce pays est surtout désormais envisagé de façon « thématique », en fonction des différents secteurs économiques et sociaux, ce qui ne veut pas dire que cela intéresse tellement les élèves, mais les enseignants préfèrent se référer au discours économiste dominant, plutôt que de décrire les Alpes ou le Massif central.

On s'inquiète, on s'indigne que les jeunes Français n'entendraient plus guère parler à l'école, au collège et au lycée, de Jeanne d'Arc, d'Henri IV, de Robespierre ou de la Guerre de 14. En revanche, on ne paraît guère se soucier qu'ils n'entendent pratiquement plus parler, dans l'enseignement primaire et secondaire, de la Lorraine et de l'Alsace, de la Bretagne ou de la Corse, comme si quelques dépliants d'agence de tourisme ou des slogans autonomistes y pourvoyaient. Il est significatif que le « rapport Girault » n'ait suscité dans la presse que des commentaires à propos de l'histoire, alors qu'il concerne tout autant l'enseignement de la géographie.

Alors que les malaises scolaires de l'histoire contrastent avec son succès dans les médias et un prestige scientifique indiscuté, la géographie est pour la plupart des gens, et notamment pour les intellectuels, synonyme de discipline fastidieuse, inutile et dans la communauté scientifique, elle fait l'objet d'indifférence polie ou d'une mise en cause de sa raison d'être. Alors qu'aux Etats-Unis, une revue de géographie, le *National Geographic Magazine* qui existe depuis près d'un siècle, compte aujourd'hui 10 millions d'abonnés (c'est de ce fait, la troisième revue américaine), en France, les revues de géographie les moins petites ne tirent qu'à quelques milliers d'exemplaires qui ne sont lus que par les géographes universitaires, même pas par les professeurs du secondaire. Par contre, en France une revue comme *L'Histoire* tire à 50 000 exemplaires.

Si l'on s'indigne dans la presse des « faillites » de l'histoire scolaire et si l'on s'invective même quant à ses orientations, c'est que la portée politique et la fonction civique de cette discipline sont évidentes. En revanche, si l'on est en France tellement indifférent au marasme de la géographie, c'est que l'utilité, la portée politique (politique et non pas politicienne) et surtout l'intérêt stratégique de ce savoir sont, depuis des décennies, systématiquement oubliés et d'abord par les géographes universitaires eux-mêmes et par les enseignants qu'ils ont contribué à former.

Pour faire comprendre quels sont les problèmes fondamentaux que pose l'enseignement de la géographie et l'importance des enjeux, il me paraît indispensable de rappeler ceci : la géographie existe bien avant qu'apparaisse au XIXe siècle sa forme scolaire et universitaire. Depuis des siècles, depuis qu'existent des cartes, elle est un savoir indispensable aux princes, aux chefs de guerre, aux grands commis de l'Etat, mais aussi aux navigateurs et aux hommes d'affaires, du moins à ceux dont l'esprit d'entreprise s'exerce au-delà du cadre spatial qui leur est familier. Cette géographie que j'appelle *fondamentale* est aujourd'hui plus active et plus précise que jamais (ne serait-ce que par les observations fournies par les satellites), mais elle est discrète, parfois secrète et destinée qu'elle est aux états-majors militaires ou financiers, elle reste ignorée du grand public, comme des professeurs de géographie. Mais ceux-ci devraient expliquer, localiser les grands enjeux et les principaux rapports de forces.

Or, depuis la fin du XIXe siècle, l'acception du mot géographie s'est considérablement réduite, sans d'ailleurs aucune justification théorique et aujourd'hui, habituellement, il ne désigne plus ce savoir éminemment stratégique qu'est la géographie fondamentale, mais un discours bien différent, dépourvu d'enjeu, la géographie des professeurs, et c'est celle dont tout un chacun garde le souvenir plus ou moins vague ; elle est destinée, non plus aux princes, aux chefs de guerre ou aux maîtres des grandes entreprises, mais aux élèves. En effet, depuis la fin du XIXe siècle, et pour des raisons qui furent d'abord patriotiques, on a considéré qu'il fallait enseigner des rudiments de géographie et d'histoire aux futurs citoyens. La fonction de cette géographie scolaire n'est évidemment plus stratégique mais idéologique et jusqu'à l'entre-deux-guerres sa signification politique resta évidente : elle parlait d'abord de la patrie et la carte de France, qui autrefois trônait en permanence dans toutes les salles de classe, était pour les élèves la représentation la plus évidente de leur pays.

Mais, au début du XXe siècle, en devenant savoir universitaire, principalement destiné à la formation des futurs professeurs d'histoire et de géographie de l'enseignement secondaire, la géographie subit une mutilation majeure : l'exclusion du politique du champ de ce que l'on peut appeler la géographicité (c'est-à-dire de ce qui est considéré comme « géographique »). En effet les premiers géographes qui furent admis à enseigner en Sorbonne et qui devinrent les maîtres à penser de cette nouvelle discipline universitaire furent amenés à croire que pour construire une « science », une vraie, ils devaient expurger leurs discours de toute allusion aux phénomènes touchant de près ou de loin au politique. En abandonnant par exemple l'analyse des formes d'organisation territoriale des Etats et celle des problèmes de frontières, les géographes universitaires renonçaient ainsi à ce qui avait été jusqu'alors une des raisons d'être fondamentale de la géographie. Il serait trop long d'évoquer ici les raisons complexes qui ont conduit les géographes français à faire comme si les phénomènes politiques n'avaient rien à voir avec la géographie, et à « oublier » systématiquement des œuvres des plus grands d'entre eux, non seulement celle d'Elisée Reclus, le géographe libertaire, mais aussi la portée du livre de géopolitique sur « la France de l'Est » de Vidal de La Blache et ce, bien que ce dernier soit célébré comme le « père de l'école géographique française ».

Certes pour les historiens, comme pour les géographes, il fallait rompre avec les harangues cocardières, ou propagandistes, mais alors que les premiers se dégagèrent peu à peu des préoccupations politiciennes, les géographes, sans aucunement argumenter, en arrivèrent à s'imposer cette idée pourtant absurde que les problèmes des Etats n'étaient pas « géographiques » et que de telles questions ne relevaient pas de leur compétence. Qu'en serait-il de l'histoire aujourd'hui, si les historiens universitaires, au début de ce siècle, avaient été conduits à décider, au nom de la science et de l'objectivité, que les phénomènes politiques devaient être exclus de l'histoire scientifique ? C'est pourtant ce que firent, pour leur part, les géographes universitaires et ils inculquèrent cette conception atrophiée de la géographie aux enseignants qu'ils formèrent et qui eux-mêmes la diffusèrent dans l'ensemble de l'opinion. Il n'est pas étonnant que celle-ci ne se soucie guère de ce savoir à qui a été enlevé l'essentiel de sa raison d'être et dont la portée politique et la fonction civique ont été systématiquement éludées par ceux-là mêmes qui ont fonction de le faire connaître.

On comprend mieux ainsi qu'à la différence du discours historien, le discours géographique soit autant dépourvu de tension dramatique ; c'est ce qui le rend souvent si fastidieux et si difficile à enseigner. En évacuant, sans même s'en rendre compte, les problèmes politiques, c'est-à-dire les rivalités entre les groupes sociaux et les conflits entre les Etats, les géographes se privent de pouvoir montrer, démontrer l'importance des phénomènes qu'ils décrivent et énumèrent. Ils ne peuvent faire comprendre qu'il s'agit d'enjeux considérables pour des forces qui s'affrontent, d'atouts ou de handicaps dans les stratégies qu'elles mettent en œuvre. Osera-t-on dire que le contrôle de l'espace, son organisation, n'est pas un enjeu d'importance ?

Aux futurs professeurs d'histoire et de géographie a été inculquée une conception de la géographie que l'on proclame « scientifique » et qui n'est en vérité qu'une conception académique puisqu'elle réduit un savoir dont la raison d'être est l'action, à un discours « désintéressé », sans enjeu. Cette réduction, sous prétexte de « scientificité » du champ de la géographie, s'opéra subrepticement, à force de non-dits, sans la moindre justification théorique et il n'y a aucune raison épistémologique que l'on continue de l'entériner aujourd'hui. Il importe au contraire que les professeurs d'histoire et de géographie, comme les géographes universitaires reprennent conscience des vraies dimensions de la géographie, celles de la géographie fondamentale et comprennent que la raison d'être de ce savoir-penser l'espace est de mieux comprendre le monde pour y agir plus efficacement. « Il n'y a pas de géographie sans drame ! » s'est un jour exclamé le grand géographe Jean Dresch qui a été président de l'Union géographique internationale

— formule épistémologique lapidaire dont la valeur scientifique est aussi grande que la portée pédagogique.

« Pas de géographie sans drame » tout comme il n'y a pas d'histoire sans drame. Il ne s'agit évidemment pas pour l'historien de se complaire dans le récit des tragédies sanglantes (elles sont hélas nombreuses), pas plus pour le géographe de ne s'intéresser qu'aux catastrophes naturelles. Le drame, étymologiquement, c'est d'abord l'action, c'est ensuite « le récit d'une succession d'actions, de façon à intéresser, émouvoir des spectateurs au théâtre » ; et pourquoi pas des élèves dans une classe ? Il ne s'agit pas seulement d'aider les enseignants à surmonter certaines difficultés pédagogiques ; il s'agit d'un objectif civique qui concerne, en vérité, la nation tout entière. Il faut que les citoyens et surtout ceux qui sont les plus soucieux des problèmes de notre temps, s'intéressent tout autant à l'histoire qu'à la géographie.

En effet jamais des connaissances géographiques et une initiation au raisonnement géographique véritable n'ont été autant nécessaires à la formation des citoyens. Ceci résulte, tout à la fois, du rôle considérable des médias et du développement des procédures démocratiques dans la société française de la seconde moitié du XXe siècle.

Les médias transmettent des informations en provenance de tous les pays du monde (cyclones, tremblements de terre, mais aussi guerres civiles et conflits de tous ordres). Si l'on ne veut pas que ce flot de nouvelles provoque l'indifférence de l'opinion, il faut que celle-ci puisse les intégrer à une représentation du monde suffisamment précise et différenciée. Le monde est inintelligible pour qui n'a pas un minimum de connaissances géographiques.

Par ailleurs, jamais, dans un pays comme la France, les citoyens ne se sont sentis aussi concernés par des questions qui sont, en vérité, des problèmes géographiques, ceux de l'environnement, ceux de l'urbanisme, ceux de la régionalisation... Alors qu'il y a trente ans, les décisions relatives à l'implantation de grands équipements industriels, au tracé des grands axes de circulation ou aux plans d'urbanisme par exemple, ne relevaient que des discussions d'un petit nombre de techniciens et d'hommes politiques, aujourd'hui un nombre croissant de citoyens veut participer aux débats quant à l'organisation de l'espace, qu'il s'agisse du plan d'occupation des sols de leur commune ou de l'aménagement du territoire dans la région où ils vivent. Encore faut-il que ces citoyens aient reçu la formation qui leur permette de comprendre ce dont il s'agit, de lire une carte ou un plan et de replacer les problèmes locaux en fonction de ceux de la région et de l'ensemble du pays, faute de quoi les procédures de consultation démocratique sont vidées de leur raison d'être, quand elles ne servent pas d'alibi à différents groupes de pression.

Mais pour que les citoyens s'intéressent à la géographie et comprennent l'utilité de cette façon de voir le monde, il faut réintroduire la tension dramatique, la référence aux actions et aux enjeux, dans le discours des géographes. Le problème de la formation des enseignants a donc une importance capitale et il s'agit moins d'augmenter le stock des connaissances de chacun que de les entraîner aux différents types de raisonnement géographique et les amener à prendre conscience des véritables raisons d'être de la géographie.

Est-ce à dire que l'on doive souhaiter que cette discipline soit enseignée par des spécialistes qui auraient reçu une formation essentiellement géographique ? Dans l'enseignement primaire c'est évidemment impossible et dans le secondaire, les choses étant ce qu'elles sont, c'est en très grande majorité à des hommes et à des femmes qui ont surtout le goût de l'histoire qu'incombe l'enseignement de la géographie et on l'a dit, ils considèrent souvent cela comme une tâche ingrate, essentiellement en raison de l'absence de signification politique et de l'absence de tension dramatique des descriptions géographiques traditionnelles. Or c'est justement cette portée politique et cette charge dramatique qu'il s'agit d'introduire de nouveau dans le raisonnement géographique, et je pense que quelqu'un qui a le goût de l'histoire peut assez aisément saisir l'intérêt du raisonnement géographique véritable, celui de la géographie fondamentale, avec ses enjeux et ses rapports de forces qui doivent tenir compte, sous peine d'échec, aussi bien des configurations du terrain que de la localisation des groupes ethniques ou culturels. Ce savoir stratégique a été si souvent mis en œuvre dans l'histoire qu'un historien ne peut pas y être indifférent.

La géographie doit être à l'espace ce que l'histoire est au temps ; l'une et l'autre prennent en compte une certaine gamme de dimensions spatio-temporelles, ni les très grandes (celles de l'astronomie par exemple), ni les très petites, mais celles qui sont les plus liées aux actions des hommes et surtout aux pratiques de pouvoir. Il ne s'agit pas de préconiser la fusion de ces deux savoirs scientifiques dans une sorte de « géo-histoire » (qui est un genre particulièrement difficile même pour des historiens de très haut niveau) mais de montrer quelles sont les ressemblances et les différences de leurs démarches épistémologiques : si le raisonnement historien est basé, pour une grande part, sur la distinction de différents temps, les temps longs et les temps courts, pour reprendre la formule de Fernand Braudel, le raisonnement géographique doit distinguer et articuler, lui aussi, différents niveaux d'analyse spatiale qui correspondent à la prise en considération d'ensembles spatiaux de grande ou de petite dimension. La distinction systématique de différents niveaux d'analyse spatio-temporels n'est pas seulement indispensable aujourd'hui dans la recherche de haut niveau ; elle l'est peut-être plus encore dans la pratique pédagogique : on saute, trop souvent et sans précaution, des considérations planétaires (le tiers monde) à l'exemple de tel village ou des évolutions séculaires (la « révolution industrielle ») au récit de tel événement capital qui n'a pourtant duré que quelques heures.

L'articulation méthodique des différents niveaux d'analyse, qu'il s'agisse du temps ou de l'espace, est une des grandes difficultés du raisonnement du géographe ou de l'historien, mais c'est seulement de cette façon qu'il devient un savoir-penser le temps ou un savoir-penser l'espace, c'est-à-dire l'outillage conceptuel qui permet d'appréhender plus rationnellement et plus efficacement, sinon la totalité du « réel », du moins un très large pan de la réalité.

Pendant des siècles, ce savoir-penser le temps et ce savoir-penser l'espace ont été l'apanage d'une minorité dirigeante, tout comme le furent les savoirs lire-écrire et compter qui furent eux aussi des outils de pouvoir, avant de devoir être démocratisés. Le savoir historien est aujourd'hui beaucoup plus largement diffusé qu'autrefois et il a été un important facteur de développement pour les forces démocratiques. Il importe de faire prendre conscience aujourd'hui à ceux qui ont à enseigner la géographie que le savoir-penser l'espace peut être un outil pour chaque citoyen, non seulement un moyen de mieux comprendre le monde et ses conflits, mais aussi la situation locale dans laquelle se trouve chacun d'entre nous.

Est-ce un hasard si dans la totalité des Etats de régime totalitaire, les cartes précises (à grande échelle) sont strictement réservées aux dirigeants du Parti et aux cadres de la police et de l'armée ? Est-ce un hasard si les seuls Etats où quiconque peut librement se procurer de telles cartes, sont les Etats de régime démocratique ? Encore faut-il que les citoyens sachent « lire » ces cartes et comprennent comment s'en servir.

C'est la tâche des professeurs d'histoire et de géographie.

Pour des progrès de la réflexion géopolitique en France

Après avoir été proscrit durant des décennies, sous prétexte qu'il avait été étroitement lié à l'argumentation de l'expansionnisme hitlérien, le mot *géopolitique*, depuis quelque temps, commence à être utilisé de plus en plus souvent. Il ne passe pas inaperçu, il choque, il intrigue, il paraît comme une façon nouvelle de voir le monde ; dans certains milieux, il commence même à être une formule à la mode et certains en usent déjà pour donner du lustre à des propos bien ordinaires.

En vérité, toute mode a ses raisons et celle-ci n'est pas futile : il est en effet nécessaire aujourd'hui de disposer d'un terme qui exprime l'importance et la complexité des rapports entre ce qui relève du politique, notamment les différentes sortes de conflits et les configurations spatiales. Dans les milieux intellectuels français, ces rapports sont particulièrement méconnus ou réduits à des banalités d'évidence.

Certes, depuis les lendemains de la Seconde Guerre mondiale, on ne s'est pas fait faute, en France comme ailleurs, de faire allusion à l'espace pour désigner symboliquement les protagonistes majeurs des grandes rivalités planétaires, l'Est et l'Ouest, le centre et la périphérie, plus récemment le Nord et le Sud. Des effets de style que l'on croit innocents imputent à d'immenses ensembles continentaux, l'Afrique, l'Amérique latine, ou à des entités très floues et plus vastes encore, le tiers monde (plus d'une centaine de « pays »), un projet politique, une stratégie, comme s'il s'agissait d'un seul acteur (« L'Afrique lutte », « L'Amérique latine revendique »... « Le tiers monde exige ») sans tenir compte des rivalités qui s'exacerbent entre les Etats ainsi regroupés verbalement ou même des guerres qui les opposent les uns aux autres.

On est obligé de se rendre compte aujourd'hui que ces grandes métaphores géographiques sont beaucoup trop simplistes et que ces façons de parler sont des pièges et pas seulement pour ceux qui les écoutent. On découvre maintenant que l'impérialisme (lequel ?) et la confrontation des « blocs » économico-idéologiques d'envergure planétaire n'expliquent pas tout, que des peuples opprimés se battent avec acharnement les uns contre les autres et que, dans les différents « points chauds » que l'on peut recenser à la surface du globe, la situation est très compliquée du fait de l'enchevêtrement de vieux antagonismes locaux, des rivalités « régionales », et du rôle plus ou moins contradictoire des grandes puissances.

Il importe de souligner que, contrairement à ce que l'on croit le plus souvent, les réflexions géopolitiques ne se situent pas seulement au niveau planétaire ou en fonction de très vastes ensembles territoriaux ou océaniques, mais aussi dans le cadre de chaque Etat, y compris ceux dont l'unité culturelle est grande (géographie des tendances politiques, problèmes de la régionalisation) et à plus forte raison dans ceux où se trouvent diverses nationalités ou des ethnies plus ou moins rivales. Le cas du Proche-Orient, et particulièrement celui du Liban, montre à quel point, dans des espaces de relativement petites dimensions, les situations géopolitiques peuvent être compliquées. Pour mieux comprendre, il faut examiner, et à différents niveaux de l'analyse spatiale, l'enchevêtrement, plus exactement les intersections de diverses catégories de phénomènes, non seulement la répartition géographique précise des différents groupes confessionnels, mais aussi les configurations du relief, les potentialités agricoles (les eaux et les sols), les zones d'influence urbaine et les grands axes de circulation, sans oublier le souvenir qu'ont les peuples ou du moins leurs dirigeants de leurs « droits historiques » sur telle ou telle portion des territoires qu'ils se disputent. Difficile est donc la tâche de ceux qui ont à rendre compte des rapports de forces locaux, régionaux, internationaux, dans des situations aussi complexes.

Pour y voir plus clair, et pour mieux expliquer, il faut — il faudrait — *recourir à la carte*, examiner et montrer pas seulement une carte, mais des cartes qui, établies à des échelles différentes, permettent de saisir les problèmes, en fonction d'espaces de plus ou moins grande étendue. Or, dans une nation comme la France, la plupart des citoyens qui se soucient des affaires du monde et de celles de leur propre pays ont si peu l'habitude d'examiner une carte que celle-ci — quand ils en voient une — ne leur dit absolument rien, même quand elle représente un espace qui leur est relativement familier. Quel que soit leur niveau culturel, ils la considèrent soit comme un décor qui évoque le voyage et les vacances, soit comme un objet scolaire associé à des souvenirs plus ou moins fastidieux. Mais ces citoyens, qui font souvent montre d'esprit critique à l'égard de tel ou tel raisonnement politique, se comportent de façon fort crédule dès lors que leur est présentée une argumentation prétendument fondée sur la carte de façon, soi-disant, indiscutable. La carte alors, bien qu'elle soit à peine entrevue, fait fonction d'argument scientifique d'autorité, tout comme sont imposées à une opinion, fort candide en ce domaine, de pseudo-« lois géopolitiques » qui réduisent artificieusement des problèmes complexes au jeu simpliste d'un ou deux facteurs élémentaires. Ces « lois », souvent fondées sur des analogies sommaires, sont en vérité pour la plupart tirées du musée des raisonnements « déterministes » de la géographie d'il y a plus d'un siècle.

Contrairement aux affirmations de certains grands théoriciens (Mackinder par exemple), une situation géopolitique n'est pas déterminée, pour l'essentiel, par telle ou telle donnée de géographie physique (relief et/ou climat), mais elle résulte de la combinaison de facteurs beaucoup plus nombreux, démographiques, économiques, culturels, politiques, chacun d'eux devant être envisagé dans sa configuration spatiale particulière.

La France se caractérise par un très grand retard de la réflexion géopolitique, tant au niveau des recherches qu'à celui de la diffusion des idées. Dans une période où nombre de problèmes s'aggravent et se compliquent, tant au plan intérieur qu'au niveau international, ce retard a des conséquences fâcheuses, ne serait-ce que dans la mesure où il facilite la manipulation d'une large partie de l'opinion par des campagnes qui se fondent sur d'excellents sentiments, sans tenir compte de la complexité des situations réelles, ni des dangers pour l'avenir de certaines solutions faciles.

Cette carence de la réflexion géopolitique n'est pas récente et elle affecte toutes les tendances idéologiques ; elle tient à un ensemble de causes relativement anciennes. D'abord, le poids de certains discours idéologiques fort répandus « à gauche » qui se fondent, sous prétexte de scientificité, sur des représentations fort économicistes de la société, comme quoi ses contradictions ne dépendraient fondamentalement que des rapports de production ; la suppression de la propriété privée des moyens de production devait régler tous les problèmes politiques. On peut se rendre compte aujourd'hui qu'il n'en est rien, bien au contraire.

En France, si l'influence de dogmes réducteurs de la pensée de Marx était, pour les milieux intellectuels « de gauche », le seul frein au développement d'une réflexion géopolitique, en revanche, celle-ci aurait dû être cultivée dans les milieux peu suspects de tendresse à l'égard du marxisme. Or, il n'en est rien, et en France les analyses géopolitiques de la droite sont tout aussi pauvres que celles de la gauche.

La cause majeure du faible développement de la réflexion géopolitique est la véritable mutilation qu'a subie le raisonnement géographique à partir du moment où il est devenu universitaire. Alors que, durant des siècles, la géographie a été un savoir de toute évidence politique, indispensable aux princes, aux chefs de guerre, aux grands commis de l'Etat, comme aux puissants hommes d'affaires, alors qu'au XIXe siècle, à cette fonction éminemment stratégique s'ajouta une fonction encore politique, celle de faire connaître leur patrie aux futurs citoyens que sont les jeunes, en revanche, à partir du moment où des géographes enseignèrent en Sorbonne — au tout début du XXe siècle —, ceux-ci, pour des raisons complexes et surtout sous prétexte de scientificité, jugèrent bon d'expurger leurs discours de toute référence au politique.

Ils oublièrent ainsi ce qui avait été jusqu'alors une des raisons d'être fondamentale de la géographie. Les géographes universitaires, et les professeurs de lycée qu'ils ont formés, en arrivèrent à considérer que les problèmes des Etats (y compris ceux de frontière) n'étaient pas « géographiques » et ne relevaient donc pas de leur discipline. Certes, pour les historiens comme pour les géographes, il fallait rompre avec les harangues chauvines et cocardières auxquelles on s'était laissé aller durant la « guerre de 14 ». Mais alors que les premiers se dégagèrent peu à peu des préoccupations propagandistes, sans pour autant cesser d'étudier les phénomènes politiques, les géographes universitaires, au contraire, en proscrivirent l'analyse. Quelle idée se ferait-on aujourd'hui de l'histoire si les historiens, sous prétexte de suivre une démarche scientifique, avaient ainsi évacué le politique ?

Le grand retard de la réflexion géopolitique en France tient surtout au fait que les professeurs de géographie ont propagé dans l'opinion cette conception très mutilée de leur discipline (au point que l'on se demande quelle est son utilité) et que, durant des décennies, les géographes en tant que chercheurs se sont gardés d'appliquer leurs méthodes à l'analyse des conflits, à leurs configurations spatiales, à leurs enjeux et aux terrains sur lesquels ils se déroulent.

Pas plus que le raisonnement historien, le raisonnement géopolitique n'est par essence « de droite » ou « de gauche ». C'est un outillage conceptuel qui permet d'appréhender tout un pan de la réalité. Evidemment, comme le raisonnement historien, il est utilisé par des hommes qui ne sont pas de purs esprits ; ils ont chacun leur préférence idéologique et soutiennent plus ou moins consciemment certaines causes. Mais les contradictions que l'on peut constater entre leurs discours montrent que ce ne sont pas les fondements épistémologiques de la référence au temps ou à l'espace qu'il faut incriminer, mais les thèses politiques qu'ils prétendent démontrer. Certes, les nazis ont fait grand cas de la géopolitique, en fait d'une certaine argumentation géopolitique, mais ils ont tout autant utilisé des arguments historiques, ou biologiques, pour fonder leurs prétentions. On n'a pas pour autant disqualifié l'histoire ou la biologie, mais on a proscrit la géopolitique.

Les dirigeants des peuples qui ont lutté, ou luttent encore, pour leur indépendance ou leur autonomie, font eux aussi de la géopolitique, mais leurs arguments ne sont évidemment pas les mêmes que ceux des puissances qui les dominent. En France, un des précurseurs d'une géopolitique de résistance à l'oppression fut le grand géographe libertaire Elisée Reclus, mais sa grande œuvre a été systématiquement « oubliée » par les géographes.

Il faut en finir avec cette proscription du raisonnement géopolitique, proscription qui est au fond dans le droit fil des oukases staliniens à propos de la « science bourgeoise » et de la « science prolétarienne ».

Depuis que le monde apparaît plus compliqué que ne l'affirmaient de grands discours manichéens, une notable partie de l'opinion commence à pressentir qu'il est important de prendre en compte les configurations spatiales dans l'examen des rapports de forces et c'est ce qui explique l'attention qu'elle porte, depuis quelque temps, à tout ce qui fait référence à la géopolitique. Cet intérêt, trop souvent, n'est guère satisfait, car l'étiquette « géopolitique » couvre bien des banalités. A cette demande, à ce besoin, il importe de répondre de façon plus rigoureuse et c'est la tâche des géographes.

Pour assurer le développement de la réflexion géopolitique en France, il ne faut guère compter, du moins pour le moment, sur l'ensemble de la corporation géographique universitaire, car celle-ci, pleine de pesanteurs instituées en « critères scientifiques » est encore loin de s'intéresser aux raisonnements politiques. En revanche, un certain nombre de géographes, qui font encore figure de francs-tireurs, s'y consacrent depuis quelques années et ils démontrent l'efficacité des méthodes de leur discipline dans l'analyse des problèmes politiques et militaires.

Mais pour construire un raisonnement géopolitique, il n'est pas indispensable d'être géographe de métier et nombre d'hommes d'action mettent en œuvre une démarche plus ou moins géographique, dès lors qu'ils raisonnent en termes de stratégie, sur des espaces plus vastes que ceux du cadre quotidien. Mais il est exceptionnel que les résultats de leurs analyses soient publiées, et c'est fâcheux car elles sont d'un grand intérêt.

En vérité, il ne sera possible de combler le très grand retard de la réflexion géopolitique en France que si les journalistes s'y intéressent de façon plus méthodique que présentement. Ce sont eux qui font les analyses les plus diffusées. L'impératif de leur métier — rendre compte le plus rapidement possible des événements de l'actualité — fait que leur tâche est particulièrement difficile. Mais ils sont à la source d'informations précieuses. Ils pourraient être encore plus efficaces s'ils étaient plus familiers des raisonnements géographiques.

Pour assurer le progrès de la réflexion géopolitique, il importe donc que s'établissent des relations régulières entre hommes de médias, hommes d'action, militaires et chercheurs scientifiques de diverses disciplines, historiens dont le rôle est essentiel, politistes, ethnologues, juristes, sociologues, économistes, démographes et bien sûr géographes, de façon à se faire mutuellement part de leurs expériences et de leurs méthodes. C'est ce que s'efforce de faire *Hérodote*, revue de géographie et de géopolitique.

Table

Composition Facompo, Lisieux
Achevé d'imprimer en mai 1985
sur les presses de la SEPC à Saint-Amand
Dépôt légal : mai 1985
Numéro d'imprimeur : 915
Premier tirage : 4000 exemplaires
ISBN 2-7071-1541-X